Ivy Naistadt

Guía práctica para superar el miedo a hablar en público

ONIRO

Título original: *Speak Without Fear*
Publicado en inglés por HarperResource, an imprint
of HarperCollins Publishers, Inc.

Traducción de Joan Carles Guix

Distribución exclusiva:
Ediciones Paidós Ibérica, S.A.
Mariano Cubí 92 - 08021 Barcelona - España
Editorial Paidós, S.A.I.C.F.
Defensa 599 - 1065 Buenos Aires - Argentina
Editorial Paidós Mexicana, S.A.
Rubén Darío 118, col. Moderna - 03510 México D.F. - México

© 2005 exclusivo de todas las ediciones en lengua española:
    Ediciones Oniro, S.A.
    Muntaner 261, 3.º 2.ª - 08021 Barcelona - España
    (oniro@edicionesoniro.com - www.edicionesoniro.com)

ISBN: 84-9754-151-0
Depósito legal: B-48.342-2004

Impreso en Hurope, S.L.
Lima, 3 bis - 08030 Barcelona

Impreso en España - *Printed in Spain*

A mi marido, David, por su amor,
paciencia e infinito apoyo.

Índice

Agradecimientos

Muy de vez en cuando tienes la oportunidad de hacer algo que deje una huella indeleble en tu vida. Para mí esta experiencia ha sido escribir este libro. Las ideas que se exponen en él se han gestado durante muchos años, y llegado el momento oportuno han aflorado en forma de libro. Sin embargo, sería imposible realizar un proyecto de este tipo sin la orientación, talento e influencia de otras muchas personas.

Por este motivo, quiero dar las gracias a todas ellas por su esfuerzo, y en especial a todos aquellos que a lo largo de mi vida me animaron a hablar sin miedo.

En primer lugar, mis compañeros en este apasionante viaje editorial, y muy especialmente John McCarty por haber propiciado el inicio de este proyecto, adivinando su verdadero potencial y animándome a seguir adelante. Con un entusiasmo inusitado me acompañó a lo largo del proceso, y sus habilidades organizativas y talento me ayudaron a encontrar mi propia voz como escritora. Nunca se lo agradeceré bastante.

Laureen Rowland, mi agente literario en David Black Agency, que me hizo creer que todo esto sería posible. Sus reflexiones, sensibilidad y aguda capacidad empresarial han sido una bendición a la que nunca podré corresponder en la medida que se merece. Sin duda alguna, fue para mí todo cuanto me había prometido. Quienquiera que tenga la oportunidad de trabajar con ella se puede considerar muy afortunado.

Joy Tutela, también de David Black Agency, por su orientación excepcional y apoyo constante. Megan Newman, directora editorial en HarperCollins; muchísimas gracias por esta magnífica oportunidad y tan genuino entusiasmo en mi trabajo. Greg Chaput, mi editor en Harper; tu oído agudo, ojo clínico y profunda atención a los detalles guiaron y fortalecieron el manuscrito.

A continuación, quiero dar las gracias a los inapreciables asesores y mentores que me han acompañado, inspirado y estimulado en las diferentes etapas de mi carrera. Vaya mi especial agradecimiento para Diane Winter Connors por haberme proporcionado herramientas que han perdurado a lo largo de mi vida, así como para Lara de Freitas por sus consultas profesionales en los momentos críticos del proceso de escritura y su confianza en este trabajo. También me siento extremadamente agradecida a Arnold Derwin por su inagotable generosidad, inteligencia, humor y perspectiva cuando más los necesitaba.

En mi vida ha habido maestros cuya influencia ha sido fundamental para mi éxito profesional. Me precio de ser una de las muchas personas que han tenido la inmensa fortuna de haber sido inspiradas por el superdotado *coach* y orador el difunto Bill Gove, y Larry Moss, un *coach* y director de teatro excepcional cuyo estilo propio influyó de un modo decisivo en mi forma de trabajar en las etapas incipientes de mi carrera.

Gracias también a Alan Neigher por sus expertos consejos empresariales, a Joseph Piazza y James Huelbig por su orientación, así como a Louise Maniscalco.

Quiero dar las gracias muy especialmente a mi socio y experto técnico Rick Rothery por su incomparable nivel sostenido de profesionalismo y entusiasmo que ha respaldado mi carrera desde 1986. Su serenidad y experiencia garantizan un programa de trabajo sin fisuras y le añaden un increíble valor.

Gracias también a un círculo de amigos muy especial que

compartieron mi apasionamiento. Mi querido amigo Michael Leeds, de un extraordinario talento, por su guía y consideraciones técnicas. Marta Sanders, Susan Mansur, Marta y Wally Ruiz, Eileen y Stephen Geiger, Ken Marino y todos mis viejos amigos de Nueva York y Pennsylvania. Os agradezco vuestro apoyo e interés sin límites. Y a las Damas del Lago: Hetty Baiz, Nancy Barlow, Barbara Beane, Gladys Bernet, Gloria Fassett y Molly Hahesy, cuyo cariño y amistad me reconfortaron durante el verano de 2002, clave para este trabajo.

Gracias a mis amigos de NSA Ed Brodow, Debra Burrell, Mary Bryant, Peguine Echevarria y Richard Thieme, por su orientación profesional y valiosas contribuciones, y en especial a Bob Frare, por su consejo experto, apoyo profesional y amistad.

He tenido el privilegio de trabajar con innumerables profesionales de talento que han apoyado mi trabajo a lo largo de los años. Vaya mi gratitud para todos ellos, incluyendo a John Hughes, Ken Patterson, Jeff Malley y más recientemente Irene Meader y Ray Kirk.

Y, por supuesto, quiero dar las gracias a mi familia por su apoyo y comprensión. Gracias muy especiales a mi sobrino John Wilson, cuyo ánimo y entusiasmo significaron mucho para mí durante este proceso. A mi madre, que me enseñó que la disciplina, profesionalidad y trabajo duro tienen siempre su recompensa. A mi difunto padre, Philip Naistadt; siempre formarás parte de mi vida. Independientemente de la distancia, siempre viajabas para ver a tu hija hablando en público, y sé que también hoy me estás viendo. ¡No me falles!

Por último, mi gratitud a mis clientes, cuyos éxitos inspiraron este libro, y a todos cuantos contribuyeron más de lo que imaginan en la realización del mismo.

Introducción

El mundo es un escenario

Una anécdota divertida de camino al Fórum

Hablar en público de una forma dinámica y eficaz ha sido una preocupación desde los días en los que Demóstenes se introducía canicas en la boca para evitar el tartamudeo ante sus legiones de oyentes en el Partenón. Y para muchos norteamericanos hoy en día, aquella preocupación ha ido a más. Lo he podido comprobar no sólo en el crecimiento de mi empresa, sino también en artículos publicados en periódicos y revistas de primera fila.

Por ejemplo, en una reciente edición del *New York Times* se decía: «Los especialistas en cuestiones laborales aseguran que tener miedo a hablar en público es uno de los obstáculos más comunes a los planes de carrera en Estados Unidos». Según una encuesta reciente, el 40 % de los norteamericanos se sienten aterrorizados ante la necesidad de dirigirse oralmente a una audiencia (¡sólo hay una cosa que detesten más: las serpientes!). El artículo concluye que la capacidad para comunicarse frente a un grupo se está convirtiendo en algo cada vez más importante en nuestra era de la comunicación electrónica, cuando más y más compañías están considerando prioritaria la interacción uno a uno.

En otras palabras, hoy en día las expectativas de que casi todo el mundo en cualquier profesión o empresa tenga que comunicarse de una forma tan educada y persuasiva como la de los presentadores profesionales que vemos en televisión son realmente incalculables. La incapacidad de hacerlo puede hacer mella en la credibilidad y la carrera personales o profesionales.

Veamos un ejemplo. George, uno de mis clientes que dirige una compañía manufacturera con sede en la ciudad de Nueva York, empezó de contable, de manera que se siente totalmente cómodo hablando a individuos o grupos reducidos de personas. En realidad, es muy dinámico en este tipo de situaciones. Pero como empresario de éxito, ahora necesita comunicarse con grupos mucho mayores en las asambleas de accionistas. Al carecer de experiencia en hablar en público a un nutrido colectivo de individuos, sus presentaciones son monótonas, lo que le impide mostrar su verdadero «yo» dinámico, lo cual se refleja negativamente en su credibilidad como líder capacitado.

Durante un período de crisis relativa en su negocio, George tenía que dirigirse a una audiencia de casi cuatrocientos empleados y accionistas. La finalidad era levantar la moral y convencer a los inversores de que la compañía sería capaz de sobrellevar la caída en el mercado.

Utilizando los métodos que presentaré en este libro, exploramos las cuestiones subyacentes relacionadas con sus dificultades a la hora de hablar en público ante grupos de individuos, y luego realizamos algunos ejercicios para corregirlas, introduciendo cambios específicos y predeterminados en su estilo de oratoria y reenmarcando su mensaje para darle un aspecto más humano.

Los resultados fueron inmediatos y significativos. El discurso de George fue más personal y centrado en el objetivo. Incorporando experiencias de sus años de contable y relacionándolas con el ámbito empresarial de una forma humorística, modesta y anecdótica, consiguió conectar con la audiencia a un nivel más íntimo, como si realmente estuviera hablando individualmente con cada persona. Asimismo, sus técnicas no verbales (lenguaje corporal, contacto visual, gesticulación con las manos, etc.) se fortalecieron, potenciando más que distrayendo su discurso.

La audiencia asimiló el mensaje de George tal y como había previsto, pues había sido capaz de comunicar su propio «yo». No sólo dio la impresión de estar al mando de una compañía de importancia, sino que lo corroboró con sus palabras. Alguien en definitiva a quienes los demás desearían seguir.

Mi conclusión, fruto del trabajo con centenares de individuos con formas benignas de miedo escénico como George u otras más profundas de pánico y nerviosismo, es que todos cuantos sufren algún tipo de miedo de hablar en público pueden conseguir lo que hizo George, ya sea en un entorno colectivo como individual.

Independientemente de cuál sea tu nivel de ansiedad antes de dirigirte a una audiencia, uno a uno o en grupo, y de cuántos puestos de trabajo u otras oportunidades hayas dejado escapar o hayas perdido a causa de ello, puedes combatir el miedo escénico y liberarte para hablar en público con eficacia, es decir, cómodamente, seguro de ti mismo y de una forma persuasiva en cualquier circunstancia.

La importancia de ser serio

Mi programa para superar el miedo escénico y desarrollar un estilo de comunicación natural y auténtico fue fruto de mi temprana formación como actriz de teatro en Nueva York y en la televisión. Esta solución consiste en identificar tanto las barreras prácticas (p. ej., falta de una determinada habilidad) y emocionales (p. ej., miedo a la crítica) que se presentan a lo largo de la vida y en contrarrestarlas. Olvidado en todos los demás libros y métodos de hablar en público, se trata sin duda alguna de un factor fundamental.

Es algo así como descubrir el fuego detrás de una cortina de humo. Parecido al nerviosismo, un síntoma de lo que nos arredra, el humo es también un síntoma del fuego. Apuntar a las llamas con una manguera no lo extinguirá. Hay que identificar la fuente del incendio para conseguirlo. Sin añadir a la mezcla este componente primordial, no importa cuántas herramientas, trucos o estrategias se utilicen en las entrevistas, presentaciones o conferencias; sus resultados no serán duraderos.

Cómo usar este libro

En la primera parte analizaremos el proceso de determinación del nivel de habilidad y ansiedad, lo cual influirá en la rapidez y facilidad de su corrección, permitiendo averiguar el «porqué» que se esconde detrás del clásico estado de angustia, tanto si es totalmente atribuible a una falta de experiencia como a la necesidad de una técnica particular, un inhibidor emocional más profundo o tal vez una combinación de ambos. A menudo he observado en mi trabajo que clientes cuya dificultad primaria reside en la falta de una habilidad específica pueden tener un componente emocional, por muy pequeño que éste sea, lo que les impide alcanzar el siguiente nivel. Así pues, tanto si estás empezando a potenciar tus habilidades en la oratoria como si eres ya un profesional más maduro, te animo a leer detenidamente esta primera parte del libro, lo cual te permitirá:

- determinar «todas» las cuestiones, basadas en habilidades y/o emociones, que se cruzan en tu camino de llegar a convertirte en un comunicador eficaz;
- aprender técnicas diseñadas para sacar a la superficie y eliminar cualesquiera emociones negativas vinculadas a obstáculos ocultos.
- visualizar nuevas posibilidades y hacerlas realidad.

En la segunda parte avanzaremos en el proceso de combinar tu recién descubierta libertad a partir de cualquier grado de ansiedad con algunas herramientas, trucos y ejercicios sencillos que te permitirán desarrollar y dominar una técnica para hablar de una forma natural y con persuasión en cualquier circunstancia.

Estas herramientas, trucos y ejercicios no son de tipo «a toda hipótesis se adaptan», sino que se ajustan a tu nivel de experiencia y necesidad. Al igual que en la primera parte, tanto si eres un principiante, alguien con mayor praxis oratoria que aun así sientes una cierta aprensión al hablar, o un consumado comunicador que desea conseguir incluso mejores resultados, los beneficios serán indiscutibles.

El dulce aroma del éxito

El «uno-dos» de combinar la primera y la segunda parte marca la diferencia entre una solución a corto plazo y un resultado duradero. Si lo haces así conseguirás:

- comprender, gestionar e incluso liberarte del miedo escénico;
- desarrollar un estilo personal de comunicación que refleje quién eres con autoridad y seguridad en ti mismo;
- traducir tu valor personal con persuasión para acceder a un puesto de trabajo importante u obtener un ascenso;
- ampliar tus habilidades para incrementar tu productividad y marketing personal;
- mejorar la salud y la felicidad personales mediante el orgullo de un logro, y catapultar la autoestima;
- disfrutar, en lugar de evitar, la experiencia de la comunicación a grupos o individuos;

- desencadenar el proceso creativo y divertirte más en el trabajo;
- encontrar tu propia luz y dejar que brille.

La que te propongo es una solución fácil de comprender y dominar que ofrece valiosas recompensas y, lo mejor de todo, es permanente.

PRIMERA PARTE

El eslabón perdido
de la comunicación eficaz

Un enfoque poco habitual

En lo alto de la escalera

Si alguien me hubiera dicho en mi infancia que me ganaría la vida ayudando a la gente a superar el miedo escénico al hablar en público para convertirse en comunicadores más poderosos y persuasivos, sin duda habría contestado: «¡Estás loco!».

Pero, de algún modo, supongo que los derroteros por los que me ha llevado la vida hicieron de ello algo inevitable.

Como comprobarás, soy un buen ejemplo de lo que predico.

Imagina a una niña de diez años, de apenas 1,20 m de estatura (nunca creció mucho más), arrastrando un enorme violoncelo más grande que ella hasta la sala de estar de su casa de dos plantas del extrarradio. Es la hora de practicar, algo tan amargo como el vinagre en la boca. Su madre, que quiere que sea una violoncelista profesional, tal y como suelen desearlo muchos padres bienintencionados, insiste en que todos sus hijos aprendan a tocar un instrumento musical. Sin embargo, en este caso, el violoncelo no es precisamente lo que le gusta a la pequeña; prefiere cantar, bailar e interpretar. Asomando por la puerta aquella tarde, mamá da las instrucciones de rigor: «¡A practicar o no hay juego!». Y con estas palabras, se marcha.

Tan pronto como la niña oye cómo el coche de su madre se pone en marcha, deja el violoncelo a un lado, brinca en la silla como si de un resorte se tratara, se apresura hasta el armario, lo abre y saca una escoba.

Colocándosela bajo el brazo, sube las escaleras que conducen a las habitaciones del piso superior y se para en el descansillo. La casa está en silencio; está sola.

La orquesta en su imaginación empieza a tocar, la música fluye y ella empieza a descender por las escaleras con gracia y donaire con su pareja, la escoba, que «viste» levita y chistera. Entonando la letra de una melodía de espectáculo, disfruta de los mejores momentos de su vida perdida en la felicidad de cantar.

Aquella noche, ella y mamá están viendo un programa de variedades en la televisión. La pequeña, aún embelesada por su interpretación, está fascinada por la vocalista del grupo. Imagina que es ella. Su madre se levanta y sin mediar palabra apaga el televisor. Molesta, la niña pregunta por qué, y mamá responde: «Porque los cantantes parecen estúpidos con la boca abierta. ¡Ahí tienes el porqué!».

Mi madre, que me ha mimado hasta la saciedad a lo largo de los años, no podía adivinar que al final orientaría mis pasos hacia la interpretación y el canto. Sin saberlo, sus palabras influyeron considerablemente en mí; su comentario se filtró poco a poco en mi cerebro y me afectó profesionalmente durante años.

Lo más curioso es que, de niña, nunca pensé en el canto desde esta perspectiva visual. Me limitaba a pasarlo bien. Y aun así, reinterpreté y interioricé aquel comentario aparentemente benigno, convirtiéndose en un mensaje esencial que más tarde transmitiría: crear inhibiciones. Como descubrirás, estas interpretaciones tienen tentáculos que, cuando los mensajes no se leen, pueden arraigar en otras áreas de la vida.

Las mariposas son libres

Los dos principales disuasores de hablar sin miedo son el nerviosismo y las inhibiciones. No son lo mismo.

Quien más quien menos experimenta una cierta dosis de nerviosismo ante la perspectiva de hablar a un grupo, convencer a un nuevo cliente o pedir un aumento de sueldo. Habitualmente, estas «mariposas» son moderadas y no tardan en desaparecer. Pero aquellas que arraigan en forma de ansiedad que nos impulsa a retroceder son las que yo llamo «miedo escénico».

Yo misma lo experimenté cuando me trasladé a la ciudad de Nueva York a principios de los setenta para iniciar una carrera como actriz y cantante. Para prepararme para los castings, estudié con los mejores profesores de voz e interpretación del momento, que me aseguraron que tenía talento y una buena voz para cantar, y que estaba desarrollando las habilidades técnicas que debían acompañarlos.

Las audiciones son de por sí difíciles, pero para mí resultaban una experiencia especialmente dolorosa a causa de las dudas que abrigaba sobre mí misma. Te sientes juzgada, la competencia es feroz, y si no consigues el trabajo, muy a menudo no tienes ni idea del porqué. Tu inseguridad va en aumento. El rechazo forma parte del juego. De ahí que, además del talento y el trabajo duro, la forma en la que te sientes contigo mismo y el trabajo que haces sea esencial para verte capaz de seguir insistiendo hasta conseguir el éxito.

Para mí, aquello representaba un esfuerzo constante. Se reproducía incesantemente una vieja cinta en mi cabeza, una que decía que los cantantes parecen estúpidos con la boca abierta, y que por lo tanto también yo debía de tener semejante aspecto al cantar. Lo que he aprendido es que los mensajes que recibimos en el pasado por parte de personas significativas en nuestra vida, intencionados o no intencionados, pueden dejar una huella du radera..., creando inhibiciones que influyen en la forma de afrontar el presente. Con perseverancia y un poquito de suerte, dos factores decisivos en el mundo del espectáculo, fue sintiéndome poco a poco más segura en mi trabajo y empecé a conseguir pequeños papeles en Broadway, películas y anuncios publicitarios. Pero todo cuanto generaba ansiedad persistía, incluso se incrementaba.

Casi me acostumbré al hecho de que las audiciones equivalían a un sudor frío y a ganas de vomitar.

Recuerdo que representé una obrita de teatro en un club nocturno de Nueva York llamado Ballroom, una magnífica posibilidad para presentarme en público y abrirme las puertas a innumerables oportunidades.

Era la noche del estreno, y allí estaba yo en mi oscuro camerino de reducidas dimensiones a un tramo de escaleras del escenario, preparándome para salir, cuando de repente...

Empecé a sentirme paralizada.

Cuando llegó la hora, fui incapaz de moverme de la silla.

Estaba allí, helada, sin ánimos de subir las escaleras.

El director del espectáculo, Harris Goldman, que había sido director de compañía de la producción original de Broadway *A Chorus Line* y que estaba acostumbrado a este tipo de comportamientos, a pesar de no comprenderlo, se acercó a mí, se hizo una idea de lo que andaba mal e intentó animarme mientras me ayudaba a subir las escaleras peldaño a peldaño. Era un espectáculo extraordinario, lo había ensayado a la perfección y sabía que era capaz de bordarlo, dijo.

Él lo sabía..., pero yo no.

Al final, la obra transcurrió sin contratiempos, y el público me dedicó un entusiasmado aplauso. No obstante, mi miedo interior solapó cualquier asomo del gozo que habría sido lógico experimentar en aquellos dulces momentos.

No tenía la menor idea de dónde se escondía la fuente de

aquel miedo oculto ni tampoco la conexión que tenía con la opinión que tenía de mí misma en el escenario o con mi propio juicio de cómo me comportaba en escena.

Yo, tan pequeña

Mientras me afanaba por combatir la ansiedad al hablar en público en aras de una carrera en el *show business*, muy a menudo no tuve otro remedio que aceptar trabajos que me permitieran alcanzar mis objetivos. Uno de ellos, que conseguí gracias al boca a boca de algunos amigos actores y contactos con los medios de comunicación, fue representar los productos y servicios de distintas compañías en diferentes certámenes comerciales como voz corporativa.

En aquella época no me tomé demasiado en serio aquel trabajo. Me ayudaba a pagar la renta de mi apartamento y me ofrecía la flexibilidad de horarios que necesitaba para seguir adelante con mis clases de interpretación y canto, y presentarme a audiciones. Era más divertido que trabajar de camarera.

Pero descubrí algo más. Independientemente de que me contrataran para estos espectáculos, donde tenía que realizar algunas cosas francamente vergonzosas, como por ejemplo vestirme como un cruasán de Sara Lee o hablar a una marioneta animada, el miedo escénico desaparecía. Delante de una audiencia, cualquiera que fuese su tamaño, y ante las más que constantes meteduras de pata, era capaz de conservar la calma más absoluta.

Con el tiempo comprendí por qué. Actuar o cantar en un musical o una obra en un club nocturno está relacionado con la interpretación en público, encarnando a alguien que no era yo. Pero como conferenciante, no estaba interpretando, por lo menos no en el sentido del *show business*, aunque todo cuanto había aprendido como actriz me resultaba beneficioso. Me situaba frente al público y les hablaba siendo yo misma, exceptuando claro está cuando me disfrazaba de cruasán.

Por muy desafiante que a menudo era este trabajo, estimulaba mis sentidos. Ser auténtica, es decir, representándome a mí misma, me permitía relajarme y disfrutar del espectáculo con los demás, lo cual potenciaba mi credibilidad y persuasión como oradora.

Muy pronto me contrataron compañías para impartir seminarios para empleados sobre hablar sin miedo a sus superiores en las reuniones de negocios.

Sin embargo, cuando empecé a encaminarme en esta nueva e inexplorada dirección, me ocurrió algo curioso: el miedo escénico reapareció.

Recuerdo exactamente cómo fue. Me habían pedido que hablara en una reunión de ejecutivos de IBM en el Hotel Opryland, en Nashville, Tennessee. La mañana del día señalado empecé a experimentar sudores fríos.

«¿Qué puedo hacer?», me preguntaba, mientras me asaltaba una infinidad de dudas y me sentía atenazada por el pánico. Allí estaba, a punto de presentarme ante una audiencia de gigantes del Fortune 100 deseosa de orientación y consejo sobre cómo se debe hablar en público sin miedo. ¡Menuda papeleta!

Una vez más, tuve que hurgar en mi botiquín de primeros auxilios de actriz para salir del paso. Repetía el mantra «¡Han venido para que les enseñe, no para ver cómo sufro un desvanecimiento!».

Podría estar exagerando en la perspectiva de desmayarme, pero lo cierto es que así era cómo me sentía. Me propuse abordar el programa con presteza, y una vez concluido, me apresuré a marcharme. Pero mi ayudante se acercó y me dijo: «No tan deprisa. Muchos están esperando hablar contigo».

¡Cielos! ¿Acaso no se habían dado cuenta de que era una especie de títere trémulo allí arriba en el estrado?

Pues no.

Mis técnicas profesionales como actriz me habían permitido superar razonablemente los obstáculos. Con todo, la experiencia fue muy dura. Estaba resuelta a llegar hasta el fondo de por qué había reaparecido mi ansiedad.

Sabueso

Visité todas las librerías de Nueva York en busca de un manual para combatir el miedo escénico en diferentes situaciones, y encontré innumerables libros que trataban de cómo hablar persuasivamente en público y cómo convertirse en un orador eficaz, pero por lo que a mí se refería, aquello era algo parecido a poner el carro delante del caballo. Ninguno de ellos exploraba la cuestión en profundidad: por qué tenía miedo y cómo podía superarlo.

Frustrada, acudí a expertos que me ayudaron a comprender hasta qué punto el comentario de mi madre y otras experiencias de la infancia habían hecho mella en mí de adulto. También descubrí que cuando me enfrentaba a un tipo de público nuevo y diferente caía en diversas trampas al considerar el reto como una «representación». Me explicaré.

Tal y como dice el gurú Roger Ailes en su libro *You Are the Message*, la televisión ha elevado el listón de lo que esperamos de los oradores: arrellanarnos en el sofá, relajarnos y pasar un rato entretenido observando a las «cabezas parlantes» profesionales que aparecen en la pantalla. Tanto si somos o no conscientes de ello, Ailes asegura, y coincido con él, que tendemos a compararnos con aquel estándar al hablar en público, esperando «interpretar» nuestro papel de la misma forma. Ésta es la primera trampa en la que caí.

La segunda fue olvidar una de las primeras instrucciones que me dio uno de los primeros profesores de teatro, el actor y productor Darryl Hickman: «Aleja de ti la necesidad de obtener una respuesta positiva», dijo refiriéndose al arte de la oratoria. Cuando conseguí comprender su significado, comprendí que estaba en lo cierto.

Como actriz tenía que estar abierta y vulnerable a expresar una amplia gama de emociones bajo presión. Como es natural, casi siempre imploraba una respuesta positiva de mi auditorio. Hickman me estaba diciendo que tenía que aprender a no permitir que la perspectiva de un feedback negativo interfiriera en la forma de hacer mi trabajo. Duro como era, aquello también significaba renunciar a la necesidad de una respuesta positiva.

La misma lección se aplicaba a las situaciones de hablar en público. En Opryland, delante de todos aquellos ejecutivos de IBM, cometí el error de que la imperiosa necesidad de obtener una respuesta positiva se cruzara en mi camino.

Decidida a encontrar mi propio estilo y a sentirme segura con él, utilizaba todo cuanto estaba absorbiendo y aplicaba la disciplina que había aprendido como actriz y cantante para desarrollar un proceso tendente a combatir el miedo escénico en cualquier situación que implicara hablar sin miedo en el ámbito de mi zona de confort.

Hasta que empecé a impartir seminarios, nunca me había dado cuenta de hasta qué punto muchos otros experimentaban una forma de miedo escénico en su vida similar al mío. Dando por supuesto que era algo con lo que tendría que acostumbrarme a vivir, jamás se me ocurrió comentarlo con mis compañeros actores.

Estaba equivocada.

Trabajando en el proceso que había iniciado y que implicaba pensar estratégicamente, tener el valor de profundizar y eliminar cuanto se cruzara en mi camino, canalizar mi energía en una dirección positiva, comprender cómo se comportaba mi cuerpo bajo presión y aprender a conseguir la máxima eficacia con el ensayo adecuado, me liberé del miedo escénico que me había plagado durante tanto tiempo.

Convencida de que este proceso podía dar resultado a cualquiera en todos los aspectos de la vida, empecé a utilizarlo en mis seminarios, y a medida que llovían los contratos, decidí dar por finalizado mi paso por los escenarios y dedicarme en cuerpo y alma a mi nueva carrera profesional como oradora, ayudando a los demás a alcanzar su máximo potencial como comunicadores, disfrutando de la misma sensación de dicha y satisfacción derivada de mi trabajo. El libro que estás leyendo se basa en mis experiencias en los seminarios.

La raíz del problema

El secreto de hablar sin miedo reside en sacar a la luz las cuestiones fundamentales que se ocultan detrás del miedo escénico, cuestiones que pueden ser diferentes para cada uno de nosotros, pero que tienen denominadores comunes, arrancarlas de cuajo y desarrollar una técnica sólida para crear y comunicar un mensaje.

Identificar estas cuestiones puede marcar la diferencia entre combatir satisfactoriamente el miedo escénico y mantener un estado de ansiedad ambiente que actúa como un virus de bajo calibre. Vive en tu interior durante años, dormido, pero de pronto, cuando se dan las circunstancias apropiadas, asoma su horrible cabeza y estalla, provocando una grave enfermedad. Si dejas que la fuente de esta ansiedad permanezca oculta o te empeñas en enterrarla, nunca conseguirás desembarazarte de ella.

Ilene, por ejemplo, era una deslumbrante pelirroja que rondaría los treinta y que trabajaba en la división de publicidad de la editora de una importante revista. Cuando se veía en el disparadero de realizar una presentación a los ejecutivos senior de la compañía o a los clientes, se sentía aterrorizada, levantaba un muro a su alrededor y se comportaba a la defensiva, incluso enojada. Sabía que, en el mejor de los casos, su problema limitaría su futuro en la compañía, y en el peor, la despedirían. Pero era ambiciosa y estaba resuelta a seguir adelante. Fue así cómo acudió a uno de mis talleres de trabajo buscando una solución.

Al principio también advertí que Ilene actuaba muy a la defensiva, interpretando la mayor parte de mi feedback en el taller como mera crítica. Nunca sonreía, y proyectaba una imagen de «niñita» con un lenguaje corporal que no era del todo suyo, lo cual mermaba su poder.

Me enfundé mi casco de exploradora y le pregunté si era capaz de pensar en alguna ocasión en el pasado en la que hubiera experimentado algún tipo de miedo escénico que le recordara cómo se sentía en la actualidad. «Cualquier cosa que se te ocurra —le dije—, aunque pueda parecer que no guarda la menor relación con el problema.»

Reflexionó durante un par de minutos y luego replicó: «De pequeña ceceaba y me llevaban a terapia del habla».

Hice un énfasis muy especial en cuán satisfactoria había sido la terapia, pues hablaba con suma claridad y de una forma sobradamente articulada. Explicó que lo pasó muy mal. «Me sentía humillada.»

«¿Por qué?», le pregunté.

Cada día en la escuela tenía que levantarse delante de sus compañeros y pedir permiso para dirigirse a la clase contigua para sus lecciones de habla. Muchos se reían y hacían comentarios muy desagradables.

Allí estaba la importante, tal vez crítica, pieza del puzle.

Ilene seguía cargando a su espalda aquellos sentimientos y dejando que influyeran en el presente. Cuando hacía una presentación a la dirección o a nuevos clientes, y ahora en el taller de trabajo, emocionalmente recordaba la ansiedad que sentía de niña levantándose cada día en la clase para pedir permiso para acudir a sus lecciones de habla. Incapaz de relajarse y ser natural, no tardó en levantar un muro protector e infranqueable a su alrededor.

Cuán aliviada se sintió Ilene abriendo las puertas de su encierro y descubrir su conexión con sus dificultades presentes. Casi de inmediato consiguió librarse de aquel peso en la espalda, empezando a irradiar una nueva confianza. Ahora que ha comprendido lo que subyacía debajo del miedo escénico, puede dar un paso más en el proceso: aprender a superarlo.

Y lo logró. Incluso sus superiores advirtieron el cambio. Cuando hablé con ella pocos meses más tarde, me anunció con orgullo que la habían ascendido.

Pero no me interpretes mal. No estoy sugiriendo que las cuestiones clave que se esconden detrás del miedo escénico siempre son una consecuencia de una herida o un trauma psicológico profundo, ni tampoco que arrancando de raíz tales cuestiones sea todo cuanto se necesita para solucionar el problema. Lo que estoy diciendo es que identificar los factores reales que nos retraen a la hora de hablar en público sin miedo es, con frecuencia, un arma muy a tener en cuenta en el arsenal del comunicador, y a menudo la más importante.

Un enfoque inusual

Para ser un buen comunicador hay que ser auténtico, lo cual requiere descubrir lo que nos está impidiendo serlo, un enfoque al que muchos de los programas destinados a facilitar el habla en público apenas prestan atención. Suelen centrarse ante todo en la técnica (cómo escribir y realizar una presentación, por ejemplo), en lugar de abordar la cuestión de la presentación de uno mismo. A menudo se obtienen resultados satisfactorios, pero en general, estos resultados duran poco, limitándose al taller de trabajo en el que se alcanzan.

Si te das cuenta de que la situación va más allá de un simple «De acuerdo, ¿cómo puedo mejorar?», o «¿Qué me impide ser realmente lo que soy?», o «¡No quiero vivir un minuto más con este miedo que me atenaza!» y dedicas el tiempo necesario a solucionar todo cuanto te impide ser tú mismo, habrás dado un paso de gigante en tu propósito de llegar a ser el comunicador natural y seguro de ti mismo que tanto ansías. No tardarás en advertir un cambio en tu perspectiva y en preguntarte: «¿Por qué no lo hice antes?».

El difunto Bill Gove, uno de los oradores más destacados de nuestro tiempo y el primer presidente de National Speakers Association, que ganó todos los premios habidos y por haber relacionados con el habla en público, dijo en una ocasión: «Hablar es fácil. Ya sabes cómo hay que hacerlo».

Con esto in mente, gira la página y emprende tu propio camino.

Capítulo 2

¿Cuál es tu perfil nervioso?

Cuatro categorías

En mis talleres de trabajo he descubierto que la gente que se pone nerviosa ante la perspectiva de hablar en público, hacer una presentación, acudir a una entrevista de trabajo, impartir clases o sentarse delante de un grupo de personas en una reunión del Rotary Club, lo cual nos incluye prácticamente a todos, pertenecen a tipos generales categorizados por «cuándo» empiezan a sentirse a disgusto.

Conocer el tipo general al que perteneces te orientará en la dirección de una solución y el mejor proceso para emprender una acción correctora eficaz.

Revisa cada uno de los tipos para comprobar con qué descripción te identificas. Puede haber más de una, ya que en una carrera en la que hablar en público constituye una actividad habitual, cuándo y por qué te muestras reacio a hacerlo puede cambiar a tenor de tu nivel de experiencia y el incremento de tu grado de consciencia personal. Algunos de mis clientes, por ejemplo, me han comentado que solían ser lo que he dado en llamar Evitadores, es decir, personas que sufren una sintomatología grave y que se sienten aterrorizados incluso ante la sola perspectiva de realizar una presentación o discurso a causa de una falta de experiencia y otras razones que exigen un examen más pormenorizado. Pero cuando se acostumbran a hablar en público y aplican los métodos y herramientas que se facilitan en este libro, cambian de categoría. Es muy probable que esto también te ocurra a ti cuando seas cada vez más capaz de hablar sin miedo.

Tenlo en cuenta y averigua a qué tipo perteneces. Recuerda que el que te propongo es un instrumento para incrementar el conocimiento de ti mismo. Los términos bueno y malo no tienen cabida aquí. Así pues, no te juzgues ni te recrimines.

1. EL EVITADOR
Cuándo: ante la mera perspectiva de hablar en público

Los Evitadores experimentan el máximo grado de ansiedad ante la perspectiva de hablar en público, pues removerán cielo y tierra para mantenerse lo más alejados posible del centro de atención independientemente de cuán perjudicial sea esto para ellos personal o profesionalmente. Veamos un ejemplo.

Ryan, un analista de mercado ascendido recientemente al cargo de supervisor del departamento, acudió a uno de mis seminarios en busca de ayuda para combatir su miedo a hablar en público, no porque realmente deseara esa ayuda, sino porque su superior había insistido en ello.

Como supervisor, Ryan tenía que presentar informes orales a la alta dirección con regularidad. Cada vez que su director le pedía que le adelantara el contenido de su próxima intervención, Ryan respondía con una evasiva: «Bueno..., aún estoy trabajando en ello».

Se trata de una clásica descripción del máximo grado de nerviosismo sintomático del Evitador.

Ryan se sentía aterrado de tener que realizar una presentación o de hablar delante de un grupo de gente. Era consciente de que el problema menoscababa su capacidad en su nuevo puesto de trabajo, aun cuando sus capacidades analíticas y directivas le garantizaban sin ningún género de dudas un paso adelante en el escalofón, lo que le podía permitir mantenerse a buen recaudo detrás de la escena. Había adoptado una actitud «no intento, no fracaso», y no había forma de precipitarse al vacío si conseguía mantenerse dentro de los límites de aquella zona y podía evitar las situaciones comprometidas. No obstante, tal había sido la insistencia de su jefe en que reconociera la necesidad de hablar en público que finalmente decidió aprender a superar su miedo con mi ayuda.

El grado de nerviosismo que muestran los Evitadores es el más difícil de vencer, ya que está arraigado profundamente. Es habitual que su habilidad para hablar en público sea mínima, puesto que han pasado la vida haciendo cuanto estaba en sus manos para mantenerse al margen de situaciones en las que aquella habilidad era necesaria. La preparación se erige en una pesadilla, pues no saben cómo hacerlo, preocupándose de otros detalles, a menudo sin importancia, como táctica de demora. En realidad, no es infrecuente que permanezcan encasillados entre quienes no merecen un ascenso, desciendan un escalón en la jerarquía de la compañía o incluso abandonen su trabajo para escapar de la posibilidad de tener que verse obligados a situarse bajo los focos.

Asimismo, los Evitadores pasan un calvario reaccionando ante la crítica. Suelen tomársela personalmente. Desde su punto de vista, asumir que han realizado un mal trabajo en, por ejemplo, mantener el contacto visual durante el discurso, es sinónimo de fracaso personal en el sentido más amplio del término. Por el contrario, se muestran extremadamente críticos consigo mismos y tienden a centrarse exclusivamente en el resultado potencialmente negativo de tener que realizar una presentación, un discurso de ventas o una entrevista de trabajo. «Voy a parecer un bobo. Fracasaré. Se reirán de mí. No soy capaz de hacerlo. No hay forma humana de que pueda salir bien...» La autocrítica es constante, y este razonamiento catastrófico alcanza un grado tal que incluso desarrollan el hábito de darse por vencidos antes de empezar.

Las personas con este nivel de nerviosismo se muestran invariablemente inhibidas ante la idea de hablar formalmente a un grupo y, en ocasiones, también individualmente. Al dedicar demasiado tiempo a vivir con su miedo e intentar disimularlo, tienen muchas dificultades para abrirse en este tipo de situaciones. Es así cómo, independientemente de los efectos perniciosos para su carrera o trabajo, la evitación continuada se convierte en un mecanismo permanente que dura hasta que su jefe o ellos mismos dicen, como en caso de Ryan: «¡Basta ya!».

2. EL ANTICIPADOR
Cuándo: desde el momento en que se programa una presentación

También conocido como «el guerrero», el Anticipador interioriza el lema de los Boy Scouts, «Prepárate para lo que se avecina». El Anticipador me recuerda al personaje Felix Unger interpretado por Tony Randall en la versión televisiva de *The Odd Couple*. Latoso e hipocondríaco, Felix se preocupa por todo. Es imposible imaginarlo relajado, y mucho menos en una situación en la que tenga que pronunciar un discurso o realizar una presentación. En el salón de conferencias en el que va a celebrarse el acto en cuestión, sería capaz de volver locos a los técnicos con su obsesiva y minuciosa atención al más ínfimo de los detalles, al igual que lo hace con su compañero de apartamento.

«Procede con cautela» es otro lema de los Anticipadores. Independientemente de que su nivel de habilidad sea alto o bajo, revisan una y mil veces todos los aspectos de su próxima presentación o entrevista, lo cual suele hacer referencia tanto antes como durante y en ocasiones después del evento. Intentan descubrir la menor fisura concebible en los preparativos, una tarea a todas luces imposible.

Pero el problema es que, por mucho que hayan preparado el

evento en cuestión, seguirán pensando que no es suficiente, que hay algo que deberían haber tomado en consideración y que se les escapa de las manos. En lugar de sentirse confiados, relajados y convencidos de que todo está controlado, uno de los objetivos inherentes de la preparación, tienden a ponerse tensos, y aun en el caso de que la audiencia premie el discurso con una atronadora ovación, no se sienten satisfechos ni gozan de su momento de gloria. Podían haberlo hecho mejor. He trabajado con actores de estas características cuyas técnicas de preparación son tan minuciosas y herméticas que apenas dejan espacio para el oxígeno llamado espontaneidad que necesitan tanto las audiencias como ellos mismos. En el extremo opuesto, he conocido actores que, habiendo realizado sus deberes, salen a escena seguros de sí mismos, pero también listos para dejarse llevar por el curso de los acontecimientos, desviándose con suma frecuencia de sus objetivos predeterminados. El resultado es una interpretación apasionante, tal vez no perfecta, pero apasionante a fin de cuentas.

Los Anticipadores, al igual que los Evitadores, también lo pasan fatal con las críticas; suelen tomárselas personalmente. En gran medida, su atención obsesiva en la preparación, y la ansiedad derivada de ella, se traduce en vislumbrar a toda costa la posibilidad de recibir un feedback negativo. En consecuencia, se muestran muy duros consigo mismo, dedicando enormes cantidades de tiempo a seleccionar el clip sujetapapeles más apropiado para el resumen del discurso que se distribuirá entre los asistentes o descubriendo un vaso de agua entre un millar que se ajusta perfectamente a su mano, evitando así las salpicaduras.

A diferencia de los Evitadores, los Anticipadores se muestran hasta cierto punto inhibidos. Sus nervios tienden a dispararse paulatinamente a medida que se aproxima el día y la hora señalados; su máxima preocupación es cometer un error. Más tarde, una vez en el podio, en el escenario o la entrevista, adoptan un estilo de discurso «seguro», ya que el factor riesgo de ser demasiado demostrativo o excesivamente emotivo es extraordinario, o porque tienen un sentimiento de superstición que les lleva a pensar que si se muestran demasiado entusiastas, repercutirá en su propia imagen.

3. EL ADRENALIZADOR
Cuándo: inmediatamente antes del evento

Mi esposo, David, toca el bajo. A mediados de los años ochenta estaba tocando en un concierto benéfico destinado a salvar los teatros de Broadway, que en aquella época estaban siendo demolidos a un ritmo desenfrenado. Mientras esperaba su turno para interpretar su papel en el casting de *Dream Girls*, un musical de éxito en el Broadway de aquellos años, advirtió algo extraño por el rabillo del ojo. Observando más detenidamente, David vio que se trataba de un hombre inclinado sobre una silla hiperventilándose, como si estuviera enfermo o a punto de sufrir un infarto.

Al aproximarse a él, el hombre se incorporó y se volvió. David lo reconoció de inmediato. Era Jason Robards, el actor, hoy ya fallecido, famoso por su interpretación en la obra de Eugene O'Neill *Long Day's Journey into Night*, el monólogo que precisamente había elegido para aquella ocasión.

Tras haber recuperado aparentemente la compostura, el Sr. Robards miró a mi marido. Era evidente que se sentía bien. Más tarde, dijo David, el Sr. Robards ofreció todo un espectáculo de fuerza y movimiento como si nada hubiera ocurrido.

Lo que había experimentando Jason Robards aquella noche no era una enfermedad ni síntomas de un ataque cardíaco, sino algo a lo que estaba muy acostumbrado y que sabía controlar a la perfección: un intenso estallido de nerviosismo antes de salir al escenario.

Conocido en ocasiones como Síndrome de Luchar o Volar, esta manifestación no significa necesariamente que algo va mal, aunque en realidad lo parezca, sino que la adrenalina se apodera del actor. Cuando comprendes lo que está sucediendo y aprendes a controlar esta vorágine de energía nerviosa, puedes aprovecharla para que juegue a tu favor y traducirla en una actuación más poderosa y persuasiva.

Una vez vi al campeón de los pesos pesados George Foreman durante una entrevista en *The Charlie Rose Show*. Rose le preguntó si en alguna ocasión se había sentido nervioso antes de un combate, a lo que aquel duro hombretón, con la duda en sus ojos, respondió: «Sí, mientras ando desde el vestuario hasta el ring y subo las escaleras las rodillas me tiemblan tanto que me gustaría poder sujetarlas».

Estos dos ejemplos describen la amplia gama de estados nerviosos experimentados por la gente a la que llamo Adrenalizadores.

En términos generales, el nivel de habilidad de los Adrenalizadores es muy elevado. Saben cómo deben prepararse a conciencia y generar inercia a medida que se aproxima la hora H. Comprenden que la fuente de adrenalina que los abruma antes de entrar en escena es el resultado de una acumulación de tensión derivada de tantos días, semanas o meses de preparativos y anticipación, reconociendo que es producto de su excitación y no del miedo. Dado que los Adrenalizadores suelen tener habilidades y técnicas sólidas y saben prepararse bien, casi nunca tienen miedo de las críticas. A decir verdad, suelen recibir con los brazos abiertos los puntos de vista objetivos y las críticas solícitas, que consideran como feedback que potenciará su representación, distinguiendo entre la crítica sana, precisa y constructiva de la negativa.

Los Adrenalizadores tienen que combatir el nerviosismo en escena con técnicas tales como ejercicios de respiración, que se convierten en una parte esencial del proceso de control del resultado de la actuación. La medida en la que consigan controlarlo influirá en cuán fluidos, seguros de sí mismos o centrados se sentirán, transmitiéndolo a la audiencia.

Un escape totalmente incontrolado de la energía nerviosa en el escenario se traduce en tics conductuales que impiden al público captar el mensaje independientemente de cuán creíble pueda parecer. En una ocasión, por ejemplo, vi a un Adrenalizador tambaleándose constantemente adelante y atrás durante su discurso de cuarenta y cinco minutos hasta que todos los asistentes experimentaron una especie de enfermedad del movimiento.

4. EL IMPROVISADOR
Cuándo: durante el evento

Cuando pregunto a un Improvisador cómo le gusta preparar una entrevista, una conferencia o una presentación, la respuesta más común es: «Oh, bueno, no lo preparo. Me gusta improvisar, ser espontáneo». Pero lo que están haciendo en realidad es incurrir en el error de dejar que la corriente consciente siga su curso, agrediendo a la audiencia con un sonoro «¡Menudo caos! ¡Qué desorganización!».

Un arquitecto con el que trabajé en la mejora de sus habilidades oratorias constituye un buen ejemplo. Es sin duda una persona orientada visualmente. Prestigioso y respetado en su profesión por su creatividad, accedió a la presidencia de una próspera compañía de arquitectura. Su proceso de generación de ideas en el pasado siempre se había basado en dejar que sus planos y proyectos hablaran por sí mismos, en la creencia de que este proceso era o debería ser suficiente para captar el compromiso de los clientes incluso ahora que era presidente. A raíz de ello, tenía la convicción de que cualquier forma de estructuración en sus presentaciones interferiría en su caudal creativo, ofreciendo una imagen forzada y poco natural. Aun así, estaba preocupado y acudió a mí. Quería saber por qué de vez en cuando se sentía inusualmente nervioso durante las presentaciones.

En una presentación demo que le pedí que realizara pude comprobar aquel comportamiento de primera mano. Su estado de nerviosismo aumentaba más y más a medida que avanzaba en su exposición, hasta el punto de hacerse un lío con los papeles y acabar no sabiendo en qué punto de la presentación estaba o qué venía a continuación. Al estar improvisando y carecer de una estructura en la que apoyarse, parecía más confundido que espontáneo, inseguro de sí mismo y carente de credibilidad, como si las ideas se le ocurrieran sobre la marcha.

Los Improvisadores suelen decir: «Robin Williams se pone en pie y lo hace sin más. ¡Yo puedo hacer lo mismo!». En realidad, Robin Williams no se limita a «ponerse en pie y hacerlo». Al igual que la mayoría de actores profesionales, trata con sumo cuidado todo su material, incluyendo muchos de sus llamados *ad libitums*, antes de presentarlo en público. Esto le proporciona un marco que le ofrece un espacio en el que moverse e improvisar con comodidad, lo cual por cierto sabe hacer a las mil maravillas.

Improvisar en el momento de la verdad fomenta un estado de ansiedad que impide pautar la presentación. El grado de improvisación aumenta paulatinamente hasta que, en algunos casos, se desarrolla una sensación semioculta de inseguridad tan profunda que el tipo de nerviosismo pasa de la columna del Improvisador a la del Evitador.

Dado que los Improvisadores dedican más tiempo al concepto que al contenido de su comunicación, suelen tener éxito a la hora de poner a prueba la paciencia de la audiencia, y con algo de fortuna consiguen transmitir alguna de sus ideas.

Abiertos como se muestran a la crítica, cuando atípicamente consiguen que los asistentes comprendan su mensaje, remontan el vuelo, pero cuando no cuentan con su aprobación, se sienten

incomprendidos o dolidos, negándose a aceptar la menor sugerencia.

En general, los Improvisadores contemplan desde una perspectiva muy positiva el curso que seguirá el discurso o entrevista. La ansiedad anticipada o *in situ* brilla por su ausencia; sólo les
asalta poco antes de empezar. Están convencidos de tener grandes ideas, y tal vez sea cierto, y ansían compartirlas. El problema
es que su falta de preparación les impide aceptar un «no» por
respuesta. Comparten su creatividad prematuramente. Necesitan desplazar el foco de esta actitud positiva para organizar y exponer mejor sus ideas, aun cuando el hecho de desarrollar un
proceso estructural les parezca extremadamente tedioso, con el
fin de asegurar un resultado satisfactorio.

La clave para los Improvisadores es, pues, alcanzar el equilibrio correcto entre la falta de estructura y una estructura sofo-
cante.

Tal y como he dicho en la introducción y al principio de este
capítulo, conocer el perfil de nerviosismo proporciona una in-
dicación de si el problema se podría solucionar con relativa facilidad, como suele ser el caso de la mayoría de los Improvisadores
y Adrenalizadores, o si resultaría más complejo al estar arraigado en una cuestión emocional que hay que sacar a la superficie
y resolver, como ocurre a menudo con los Anticipadores y, muy
especialmente, los Evitadores.

Por lo que a mí respecta, he descubierto que los diferentes
grados de nerviosismo, los cuatro tipos, pueden requerir los dos
tipos de soluciones. Incluso un Improvisador, parte de cuyas dificultades derivan probablemente de una falta de conocimiento
acerca de cómo deben prepararse, también pueden tener un
componente más profundo y emocional, aunque pequeño, que
juega en su contra. Mi dilatada experiencia trabajando con centenares de personas me ha enseñado que no conviene dar jamás
por sentado que la simple adquisición o perfeccionamiento de

una habilidad específica se traducirá en un resultado inmediato e invariablemente satisfactorio.

Utilizando lo que has aprendido acerca de ti mismo hasta este momento como guía para determinar cuál es tu perfil de nerviosismo, examinaremos a continuación los tipos de obstáculos que contribuyen o generan la ansiedad que te arredra para que puedas identificar los factores fundamentales que conducen a una solución eficaz.

¿Quién eres?

Evitadores. Sufren tanta ansiedad asociada a hablar o comunicarse en cualquier entorno formal que harán lo imposible por evitar cualquier situación que lo exija. Incluso pueden dejar pasar a propósito oportunidades de ascenso en el trabajo para evitar los focos.

Anticipadores. Empiezan a experimentar nerviosismo tan pronto como se programado un discurso, presentación o entrevista de trabajo, independientemente de que el evento esté previsto para dentro de tres semanas o tres meses. Dedicarán todo su tiempo a preocuparse de lo que puede ocurrir.

Adrenalizadores. El nerviosismo los asalta justo antes del evento. Se sienten atenazados súbitamente por un alud de energía que conviene controlar con técnicas apropiadas que les permitan afrontar el desafío previsto.

Improvisadores. Se sienten nerviosos durante el evento, pues o bien lo han preparado todo en el último minuto o no lo han preparado en lo más mínimo. Se enfrentan a problemas de todas clases que se podrían haber evitado fácilmente con un poco de preparación.

Capítulo 3

Obstáculos superficiales: soluciones fáciles

E l miedo escénico afecta a millones de personas cada día y en todos los países, en los salones de juntas de las empresas y salas de conferencias, los halls de convenciones, las entrevistas de ventas, la radio y la televisión, obligándonos a realizar elecciones que nos limitan gravemente tanto personal como profesionalmente.

Lo que desencadena el miedo escénico que experimentamos en situaciones en las que se nos exige ponernos en la línea de fuego ante un grupo o un individuo es:

1. Los mitos relacionados con hablar en público que caracterizan la sociedad en la que vivimos. Se pueden eliminar fácil y rápidamente simplemente disipándolos.
2. Los «controles de carretera», que requieren algo más de tiempo y esfuerzo para sortearlos, pues exigen el aprendizaje de una técnica particular. En cualquier caso, la solución está al alcance de las manos.
3. Las inhibiciones que nos afectan individualmente, que requieren un nivel de compromiso más profundo; derivan de miedos que nos han alimentado a lo largo del tiempo y que se han convertido en barreras.

Reconocer e identificar lo que impulsa tu forma específica de miedo escénico para reducirlo o incluso superarlo es esencial para llegar a ser un comunicador eficaz.

Este capítulo hace un especialísimo hincapié en los obstáculos superficiales, los mitos y controles de carretera relacionados con las habilidades, que generan dificultades y que son fáciles de solucionar.

Empezaremos con los mitos que nos impiden dar un paso adelante.

Mitos que nos impiden avanzar

Existen innumerables mitos muy extendidos relacionados con el hecho de hablar en público que modelan nuestras actitudes acerca de lo que se necesita para ser un orador eficaz, mitos que tienen el efecto envenenador de detenernos en nuestro camino, pues venden la idea de que carecemos de lo «indispensable» para convertirnos en comunicadores poderosos y persuasivos. Aceptarlos como ciertos nos permitirá convencernos desde el principio de que podemos fracasar.

Si examinamos estos mitos acerca de hablar en público y descubrir cómo y por qué permitimos que se crucen en nuestro camino, podemos superarlos y dejarlos atrás. He denominado a estos mitos «obstáculos superficiales» porque, a diferencia del tipo de inhibiciones más profundas que examinaremos en el capítulo siguiente, operan a un nivel superficial, lo cual los convierte en las barreras más fáciles de erradicar, pues apenas tienen peso específico o carecen absolutamente del mismo.

Veamos a continuación los mitos más habituales en relación con hablar en público que he identificado en mis seminarios y sesiones de *coaching* individuales en el transcurso de los años. Separemos la realidad de la ficción.

PRIMER MITO: «EL NERVIOSISMO ES UN SIGNO DE DEBILIDAD»

Muchas personas creen que el mero hecho de desarrollar un estado de nerviosismo al hablar en público o en una entrevista es una señal invariable de debilidad. Semanas antes de hacer una presentación o de acudir a una entrevista preprogramada se despiertan cada noche con un sudor frío y sumidos en el más terrible de los pánicos ante la perspectiva de que adviertan su extremada inseguridad y de que sus empleados, compañeros de trabajo y clientes descubran que no son capaces de controlarlos. La vergüenza se apodera de ellos.

La verdad es que la mayoría de las personas con las que trabajo, incluso muy especialmente los que ocupan niveles jerárquicos elevados en su profesión, experimentan un mayor o menor grado de tensión al hablar en público o en una entrevista, lo cual también afecta a los oradores y actores profesionales que se ganan la vida delante de una audiencia. ¡En realidad, si no estuvieran nerviosos, se pondrían por el mero hecho de no estarlo!

Quien más quien menos, cuando se enfrenta a una situación pública teme en su fuero interno verse rechazado. Ésta es la causa del nerviosismo. Es una respuesta normal. No significa que seas un debilucho. Lo que importa es lo que hagas con esa energía nerviosa.

No hace mucho tuve el placer de charlar con la actriz Chita Rivera, ganadora del premio Tony Award. Está en una forma física envidiable y rebosa la energía y el carisma que han hecho de ella toda una leyenda en Broadway. Le pregunté si seguía actuando, y me dijo que estaba preparándose para empezar a ensayar muy pronto para una nueva obra; se sentía muy excitada ante semejante proyecto.

Le comenté lo maravilloso que era que incluso ahora, en esta etapa de su vida profesional, siguiera mirando al frente con tanto entusiasmo ante la idea de interpretar en público. Llegados a este punto, levantó los brazos, cerró los puños y dijo: «¡Sí, pero me pongo taaaan nerviosa...!».

Imagina. Es una actriz profesional, una superestrella de Broaway con más de medio siglo de experiencia actuando noche tras noche en los escenarios de Broadway, siempre atestados de público, y aun así confiesa sentirse nerviosa ante la sola idea de salir a escena.

REFLEXIONA

No se trata de si te pones nervioso o no, sino de hasta qué punto eres capaz de controlar el nerviosismo en tu favor.

Otros, como el difunto actor sir Laurence Olivier, los cantantes Barbra Streisand y Carly Simon, la actriz Kim Basinger y el hombre del tiempo de *Today*, en la NBC, Willard Scott, también han admitido haber sufrido y estar sufriendo miedo escénico en su vida profesional. Si esto los convierte en debiluchos, ¡mejor hacemos las maletas y nos vamos a casa!

El nerviosismo no es un signo de debilidad, sino de exceso de energía que hay que aprender a controlar y recanalizar. Cuando comprendas en la segunda parte cómo se comportan tu mente y tu cuerpo bajo presión, te proporcionaré las técnicas necesarias para liberar la energía vinculada al estrés y canalizar el nerviosismo que produce en una dirección positiva que juegue a tu favor, no en tu contra.

Esto es lo que han aprendido una infinidad de prestigiosos «combatientes» de la ansiedad escénica, que consideran el inminente estallido de nerviosismo, molesto como es, como una señal de que están preparados para afrontar un reto, aprovechando ese conocimiento y su energía a modo de combustible para rendir al máximo.

SEGUNDO MITO: «TIENES QUE SER PERFECTO»

¿Has conocido a alguien cuyo objetivo sea siempre hacerlo todo a la perfección? Tanto en la vida profesional como personal consideran necesario poner la tilde a cada «ñ» y los puntos sobre las íes. Entre los psicólogos, estas personas se conocen como perfeccionistas. Aunque solemos asociar el trabajo duro, la responsabilidad y la ambición con estos individuos de éxito, lo cierto es que todo tiene un lado conflictivo. Con frecuencia colocan el listón demasiado alto para sus posibilidades, y si fracasan en su intento de satisfacer aquellas expectativas poco realistas o no consiguen alcanzar sus metas, se muestran extremadamente críticos consigo mismos.

Por otro lado, siempre es difícil compararse con un perfeccionista, sobre todo porque la mayoría de nosotros no somos perfectos.

Lo mismo ocurre al hablar en público, hacer presentaciones o entrevistas. Cuando veo a alguien demasiado cortés, excesivamente preciso, que jamás comete un error o da un paso en falso, mi reacción inmediata es pensar que son demasiado buenos como para ser auténticos. Dicho de otro modo, no creo en ellos porque son excesivamente..., ¿cómo lo diría?, perfectos.

Lo que espero de un orador, presentador o entrevistado, y estoy convencida de que tú también esperas lo mismo, es alguien bien preparado, pero que se muestra en toda su extensión de ser humano. Quiero una persona capaz de manejar la situación, en especial si ocurre algo imprevisto, como casi siempre suele acontecer, con gracia, perspectiva y un innegable sentido del humor.

El hecho es que los mejores conferenciantes y presentadores dependen de su voluntad de ser imperfectos para transmitir más y mejor su mensaje. Son conscientes de que no pueden ser perfectos, ya que la perfección no existe. Siempre surge lo inesperado, y deben sentirse libres para responder con eficacia a este tipo de situaciones.

He experimentado muchos momentos como éstos en mi vida profesional. Al principio eran espantosos, pero con el tiempo me acostumbré a valorar lo que me estaban diciendo: perseguir la perfección como orador o presentador te sitúa en una caja cerrada sin espacio para la espontaneidad y sólo provoca nerviosismo.

Cuando trabajo con clientes que se sienten terriblemente angustiados antes de aparecer ante una audiencia, que empiezan a obsesionarse por nimios detalles y desarrollan un sentimiento casi crónico de duda personal que virtualmente los paraliza, en ocasiones por completo, sé en qué entorno nos estamos moviendo. Debido a la creencia autoimpuesta de que tienen que hacerlo a la perfección, entran en un estado en el que el proceso de dar la conferencia, realizar la presentación o acudir a la entrevista es más difícil y presionante de lo que en realidad debería ser. Al situar el listón tan alto, a menudo les puede el nerviosismo y fracasan rotundamente.

En resumidas cuentas, «Tengo que ser perfecto» es una actitud poco realista que no te lleva a ninguna parte en tu vida personal y profesional. Recuerdo haber leído el discurso de apertura de la columnista Anna Quindlen a los estudiantes de Mount Holyoke College en 1999, en el que animaba a sus esperanzados oyentes a olvidar la necesidad de la perfección en su vida al igual que ella había hecho en la suya. «Al final, ser perfecto día tras día, año tras año, se convierte en algo así como cargar una mochila llena de ladrillos», dijo refiriéndose a sus primeros años de estudiante en Barnard College. «¡No podéis imaginaros hasta qué punto ansiaba desembarazarme de ella.»

Esto lo resume todo... a la perfección.

TERCER MITO: «TIENES UN TALENTO INNATO»

No estoy segura de cuál es el origen de esta noción, exceptuando quizá que dado que los grandes oradores dan la sensación de que es tan fácil de hacer, podríamos suponer que es innato en ellos.

Es un error.

Los grandes comunicadores como John F. Kennedy, Martin Luther King jr., Ronald Reagan y Bill Clinton, por citar algunos, dedicaron años a desarrollar el Arte de la Oratoria (en realidad, Reagan fue comentarista deportivo, actor y conferenciante de empresa antes de entrar en política; su entrenamiento y su práctica lo convirtieron en un comunicador de prestigio). Por otro lado, todos tuvieron, y siguen teniendo en algunos casos, redactores de discursos profesionales trabajando a su lado, mientras que la mayoría de nosotros cargamos con la responsabilidad añadida de preparar y recopilar el material antes de presentarlo.

Lo cierto es que el 50% de la gente con la que trabajo y que tiene que afrontar verse abocada a hablar en público o a hacer una presentación han tenido poca o nula experiencia en estos menesteres. En tales circunstancias, sería absurdo esperar un resultado tan profesional como el de Reagan o Clinton, para quienes comunicar ideas y persuadir al prójimo formaba parte integral de su vida.

No voy a discutir que muchos buenos oradores poseen una proclividad natural en este sentido. Tal vez se sientan simplemente más relajados y cómodos hablando ante una audiencia, aunque esto, sin duda alguna, también se puede desarrollar con el tiempo y la repetición. Sin embargo, sin una técnica sólida en la que apoyarse y su constante aplicación, no serían tan eficaces, independientemente de cuán cómodos se sintieran delante del público.

Creo firmemente que los grandes comunicadores no nacen, sino que se hacen, y que cualquiera puede convertirse en uno de ellos combinando un deseo real de alcanzar ese objetivo y la técnica y disciplina.

Cuarto mito: «Tienes que ser un actor cómico»

Los cómicos profesionales tales como Jerry Seinfeld y Jay Leno deberían llevar una etiqueta de advertencia en la espalda en la que leyera: «No lo intente en casa», o quizá: «Inténtelo "sólo" en casa».

Ni que decir tiene que hacer reír al público es un activo para cualquier presentador u orador, o incluso durante una entrevista de trabajo, pero esto no significa que haya que ser un auténtico cómico de escenario para conseguirlo.

Aunque no sepas contar chistes, también tú puedes ser capaz de aportar un cierto sentido del humor a tus discursos, presentaciones o entrevistas y conectar con la audiencia. No hace falta recurrir a sombreros de feria o a juegos malabares para arrancar la risa del espectador. Piensa en los grandes oradores públicos que he mencionado en este capítulo. Son capaces de hacernos reír sin pretender ser Robin Williams. El secreto de la risa está en aprender y practicar los principios de los buenos cuentacuentos, una técnica a la que me referiré más detenidamente en la segunda parte. Estos oradores acompañan las palabras de anécdotas e historias fruto de sus propias experiencias, capaces de despertar una sonrisa de solidaridad porque cualquiera se puede sentir relacionado con ellas. Dicho de otro modo, los buenos oradores nos invitan a compartir una sonrisa con ellos, a menudo a su propia costa.

Quinto mito: «Todo cuanto digas debe ser importante»

¿Quién de entre nosotros es capaz de hablar siempre con sabiduría? Incluso los filósofos dejan sus pretensiones de vez en cuando. Pero mucho de lo que tienes que decir es importante, particularmente si te estás vendiendo a ti mismo o a tu compañía, o compartiendo una experiencia o una idea.

He llegado a la conclusión de que quienes aceptan este mito y creen que lo que tienen que decir no es importante pueden ser asociados al axioma «A los niños se les debería ver, no oír». Basta hacer caso omiso de este mito para escapar a su poder.

SEXTO MITO: «MI NERVIOSISMO ES PEOR QUE EL DE CUALQUIERA»

¡De ser cierto, entonces el miedo a las víboras figuraría más alto en la lista de las fobias que el miedo a hablar en público!

Aun así, comprendo las causas de esta actitud. Es muy similar a la psicología de un soldado que piensa que es el único que se siente asustado ante la idea de ir al combate, y que está preocupado por la posibilidad de que lo tilden de cobarde si lo explicita.

He experimentado estados de nervios en muy diferentes etapas de mi vida profesional y los he guardado invariablemente en el más profundo de los secretos durante años, temiendo que de expresarlos sería incapaz de conseguir un empleo.

No fue sino hasta que empecé a trabajar como *coach*, sobre todo con ejecutivos de empresa, cuando descubrí cuán realmente insignificantes eran mis estallidos de nerviosismo. Aquellos personajes de éxito ocultaban el mismo secreto que yo y sufrían de la misma forma.

Algunas personas consiguen disimular mejor que otras sus sentimientos de ansiedad, o por lo menos han aprendido a canalizar el nerviosismo y a controlarlo para que no consiga anular sus capacidades. Éste es, sin ir más lejos, mi caso. Pero para poder hacerlo, primero hay que admitir que el problema existe y no adoptar la actitud de que se es el único que lo está sufriendo.

En un momento determinado de mi carrera me contrataron como *coach* para trabajar con un grupo de ejecutivos que tenían que aparecer ante las cámaras de televisión. Su compañía había diseñado un estudio *in situ* y muy vanguardista para producir noticias relacionadas con el mundo de la empresa y programas informativos que serían emitidos en todas las sedes corporativas durante la jornada laboral. Los habían elegido a ellos para ser los presentadores.

Sentían pánico ante semejante perspectiva. ¿Y quién no? «Presentador» no figuraba en su descripción del perfil de trabajo. Es parecido a un cámara que de repente se ve obligado a salir a escena, a situarse bajo los focos y a sustituir a Tom Brokaw.

Uno de aquellos ejecutivos, una mujer, me dijo, o mejor, insistió en que el tiempo era oro en su trabajo y que por lo tanto tenía que enseñárselo todo en una sola sesión. Más tarde descubrí lo que ocurría realmente. Estaba acostumbrada a moverse entre una infinidad de informes de dirección. Ahora tenía que hacer frente a un caso grave de ansiedad escénica y no sabía cómo superarlo. Para empeorar aún más las cosas, esperaba ser capaz de cumplir el objetivo propuesto con propiedad.

Sospeché que en su fuero interno estaba convencida de que si sus compañeros se enteraban de su angustia, dejarían de respetarla como aquella roca inquebrantable que siempre había dado la sensación de ser. En realidad, su nerviosismo no era ni diferente ni peor que el que sentían todos sus compañeros presentadores en ciernes.

SÉPTIMO MITO: «ES UNA TAREA DEMASIADO ATERRADORA»

¿Recuerdas cuando aprendiste a montar en bicicleta? En mi caso, mientras observaba a los niños mayores del vecindario pedalear a toda velocidad calle arriba y calle abajo, pensaba: «¿Cómo voy a ser capaz de hacerlo?».

Luego, un día, mi padre me ayudó a montar, me sujetó del sillín y me enseñó a cogerme del manillar, a pedalear y a frenar, poquito a poco, y antes de que me hubiera dado cuenta corría calle arriba y calle abajo con los niños mayores, pasándolo en grande.

No podía creer lo deprisa que había aprendido y lo natural que me resultaba montar en bici. Ya no tenía que pensar en cómo debía hacerlo. ¡Simplemente lo hacía! Me montaba y salía zumbando.

Hablar en público es parecido. De pronto te dicen que tienes que realizar una presentación a la dirección general o pronunciar un discurso en el Rotary Club. El cerebro se acelera. Te sientes abrumado por la situación. Piensas: «¡Es imposible!», y el pánico se adueña de ti. Quieres marcharte a casa, meterte en la cama y taparte la cabeza con la almohada. Me ha sucedido muchas veces.

Si este escenario también te resulta familiar, relájate pensando que hablar en público en todas sus variedades, desde dirigirse a una nutrida audiencia hasta cumplir con una entrevista de trabajo, no es más difícil que aprender a montar en bicicleta. Todo cuanto necesitas es un método, un lugar donde empezar y un proceso a seguir.

La segunda parte de este libro te proporcionará las técnicas básicas, además de algún que otro consejo más avanzado, para tener éxito. Si aplicas los principios y los adaptas a tus propias necesidades, no tardarás en montarte en la bici y correr calle arriba y calle abajo.

OCTAVO MITO: «TIENES QUE SER EXTRAVERTIDO PARA EMBELESAR A LA AUDIENCIA»

Uno de mis clientes trabaja de investigador en el sector financiero. Permanece siempre detrás de las cámaras recopilando información para contribuir al desarrollo de la posición de marketing de su compañía, compartiéndola con la dirección general, ya sea individualmente o en pequeñas reuniones. Pero ahora le habían pedido que presentara sus conclusiones a la fuerza de ventas del banco. ¡Qué horror!

«No soy un comercial —me dijo—. Ni siquiera soy extravertido.» Y tenía razón.

Le comenté que no hacía falta que se mostrara extremadamente sociable, sino sólo «importante». Es decir, no era necesario remodelar su personalidad a imagen y semejanza de Tony Robins para captar la atención de su audiencia. Debía comprender la perspectiva del público para presentar la información de un modo valioso para aquella audiencia. Consíguelo, le dije, y todo lo demás se dará por añadidura. Se sentiría más fuerte al saber que los oyentes prestaban atención a sus palabras.

He conocido a grandes oradores y presentadores dotados de un extraordinario estilo de comunicación dejar a su audiencia pensando: «¿Y en qué me concierne a mí todo esto?». También he visto a personas con estilos de oratoria mediocres y casi somníferos embelesar a los asistentes con el contenido de su exposición y la relevancia de sus opiniones. Esto me recuerda al ex secretario de estado Henry Kissinger. Nadie en el mundo posee un estilo de oratoria tan letal como el suyo. Es como ver la pintura secándose. Pero escuchamos a Kissinger por la significación de sus puntos de vista sobre la escena nacional e internacional; queremos oír lo que tiene que decir.

Tras las oportunas explicaciones, me dispuse a trabajar con mi cliente para mejorar sus habilidades, tales como analizar el flujo de su presentación y limitar la cantidad de detalles que debería incluir en el mensaje para que resultara comprensible y fácil de digerir al personal de ventas. Llegado el gran día, lo hizo muy pero que muy bien.

NOVENO MITO: «SI COMETES UN ERROR, SE ACABÓ»

Habrá veces en tu vida personal y profesional en que perderás el hilo en un discurso o presentación y no sabrás cómo continuar. También es posible que tu mente se tome unas vacaciones a media sesión del consejo y no sepas qué decir. En el capítulo 6 examinaremos las razones por las que se produce este tipo de lapsus y cómo planificarlos con antelación para poder reasumir con aplomo la exposición. Por ahora quédate con la idea de que todos cometemos algún desliz de vez en cuando en una presentación, y algunos más de una, tanto si se trata de oradores experimentados como el presidente de Estados Unidos hablando en el Senado de la Unión, como de la primera entrevista de trabajo importante en tu carrera profesional.

No te fíes de la creencia generalizada de que la única alternativa es la humillación pública y la «muerte». No pierdas los nervios y recuerda que si no consigues tener éxito, nadie más lo conseguirá.

Llegados a este punto, ya deberías tener una idea clara de los motivos por los que estos mitos interfieren en tu camino impidiendo que te conviertas en un comunicador eficaz y por qué son falsos.

Cuando te hayas dado cuenta de que has adoptado creencias erróneas, deberías empezar a experimentar un alivio inmediato. Las nociones falsas que vamos recogiendo día a día se pueden disipar con facilidad, ya que, aunque las hayamos interiorizado u oído hablar de ellas, son mitos equivocados que han modelado nuestras percepciones actuales, pero no la realidad.

También es posible que tengas tus propios mitos. Te invito a cuestionártelos y a determinar si son realidad o ficción.

Pasemos a la segunda categoría de obstáculos superficiales que se cruzan en nuestro camino, los «controles de carretera» asociados a la habilidad, que también son fáciles de superar.

Controles de carretera asociados a la habilidad

A diferencia de los mitos, estos obstáculos superficiales son reales, pero es precisamente su genuina realidad lo que los hace tan fáciles de solucionar como aquéllos. Como verás, tienen su origen en problemas fácilmente identificables, en este caso, la falta de una habilidad o conjunto de habilidades determinadas. Así pues, la solución consistirá en adquirirlas. Ni que decir tiene que exige un poco más de esfuerzo que el necesario para disipar un mito, pero las acciones requeridas son concretas y fáciles de dominar, dependiendo, claro está, de cuánto tiempo y esfuerzo les dediques, porque, al igual que con la adquisición de cualquier habilidad, sólo obtendrás en la medida en que hayas invertido.

FALTA DE HABILIDADES DE COMUNICACIÓN/PRESENTACIÓN

¿Has oído hablar del «Principio de Peter»? Debe su nombre al difunto doctor Laurence J. Peter, profesor de ciencias empresariales en la Universidad de Southern California. Básicamente viene a decir lo siguiente: cuando alguien en una organización, ya sea pública o privada, alcanza un grado extremadamente competente en su trabajo, es muy probable que sea ascendido a otro de mayor envergadura con diferentes responsabilidades que requiera habilidades y experiencia de las que carece. Dicho de otro modo, dice el doctor Peter que tarde o temprano todo el mundo asciende hasta su nivel de incompetencia.

El teorema del doctor Peter es hoy en día más cierto que nunca, ya que cada vez es mayor el número de compañías que exigen a sus empleados que hagan más con menos y que asuman multifunciones en distintas áreas de la empresa, a menudo divergentes, a causa de las presiones de una competencia rígida y global. En consecuencia, un director financiero con experiencia en los números pero no en las personas puede ser catapultado hasta el cargo de jefe ejecutivo, un trabajador eficaz de planta en una fábrica se puede ver en el disparadero de acceder a la dirección, o una secretaria tener que asumir las responsabilidades de representante en las relaciones con los clientes. Como resultado, cada uno de ellos deberá de un día para otro comunicarse a un nivel diferente con una audiencia más amplia, potencialmente desconocida, mediante discursos, presentaciones, reuniones de ventas, demostraciones de vídeo, conferencias, etc., y dado que nadie les ha enseñado las habilidades necesarias o no las han aprendido siguiendo el proceso habitual, su rendimiento se sitúa con mayor frecuencia por debajo de las expectativas de sus superiores. Sus palabras adolecen de falta de persuasión y credibilidad, la confianza en sí mismos disminuye, de inmediato aflora el nerviosismo y desarrollan un estado peculiar de miedo y odio al podio.

Afortunadamente, el miedo a hablar en público a causa de una falta de habilidades es una de las dificultades más fáciles de superar. Basta adquirirlas y luego desarrollarlas, adaptándolas a tu propio estilo hasta que se convierte en una parte casi connatural de ti mismo.

He aprendido muchas cosas acerca de este miedo durante mis años de aspirante a actriz en los castings de Broadway, con desplazamientos constantes a la ciudad de Nueva York para participar en audiciones en los legendarios escenarios en los que se estaba representando *A Chorus Line*, *Evita* y *42nd Street*. De niña, en Syracuse, Nueva York, ya soñaba con aquellos escenarios. Y ahora, aquí estoy.

Recuerdo una audición muy especial. Era una de las cinco actrices que optaban a un papel en una obra. Al principio me sentía muy excitada por la convocatoria, pero a medida que aumentaba el grado de exigencia en las interpretaciones, aquella excitación se convirtió en miedo.

En la primera audición me pidieron que demostrara mi talento en el canto. Fue bastante bien. En la segunda, tuve que actuar, y tampoco estuvo mal. Pero luego llegó el baile, y para ser sincera, mis habilidades en la danza eran..., bueno, algo superficiales. En el mundo del teatro existe una categoría para las personas como yo: se nos conoce como cantantes que se mueven bien.

Sabía bailar, pero no tenía la formación de una bailarina del tipo que se podría encontrar en el casting de *A Chorus Line* o *Chicago*, con aquellas ágiles gacelas capaces de flexionar hasta tocar los talones con la cabeza. Sólo era capaz de tocar los dedos de los pies.

Pues bien, en esta audición final, nos alinearon a las cinco en el escenario y un hombre muy espigado, y cuando digo espigado me refiero a 1,90 aproximadamente, se aproximó a nosotras. Era el director y coreógrafo Tommy Tune. Estuve a punto de sufrir un desvanecimiento; menuda prueba podía sugerirnos un personaje tan legendario como él. Tal vez pudiera esconderme detrás de alguna de aquellas gacelas, pensé. Nadie advertiría mi presencia.

Pero era imposible. Con una voz suave y un ligero acento de Texas, nos indicó que cuando nos diera la señal deberíamos cruzar el escenario, una detrás de otra, ejecutando círculos de danza, es decir, lo que se conoce como un *grand jeté*.

Para quienes no estén familiarizados con este término, como era mi caso, lo describiré. Saltas varias veces con las piernas abiertas como si de un par de tijeras se tratara, aterrizando grácilmente en el suelo, una y otra vez hasta completar el recorrido. En lo que a mí respecta, las instrucciones del coreógrafo eran algo así como «Recita el texto en chino y luego vuela».

Recuerdo perfectamente a uno de los quince productores que observaban la audición volverse hacia otro y susurrar: «No quites el ojo de la pequeña [yo]; es buena», mientras yo pensaba: «No por favor, no te fijes en la pequeña; hazlo en las mayores, ¡las gacelas!». Me sentía como en una película de Woody Allen: Luces..., acción..., ¡patapúm!

Iba a fracasar; no podía escapar a la humillación. Pero era demasiado tarde para volverme atrás.

«Muy bien señoritas, empiecen», dijo Tommy Tune. Una a una, las gacelas cruzaron el escenario saltando —¡volando!— en el aire. Luego llegó mi turno.

Mi corazón latía desbocado. Tenía que hacer algo, pero ¿qué? Sin pensarlo dos veces, ejecuté una forma de creación propia de *grand jeté*, sin saltos ni piernas abiertas. Recorrí el escenario de lado a lado como un cangrejo con Prozac, agitando los brazos, intentando desesperadamente forzar una sonrisa. Por fin llegué al otro extremo. Supe que así era porque prácticamente me estampé contra la pared.

Se hubiera podido oír el ruido de una aguja cayendo al suelo. Miré a mi alrededor y vi quince rostros aterrorizados que me observaban boquiabiertos. Poco después, uno de ellos, muy alto por cierto, se dirigió cortésmente a mí con el clásico «Gracias. La siguiente».

Lo que aprendí de aquel incidente fue valiosísimo: decidí que nunca me volverían a sorprender en una situación como aquélla. Aunque no tenía la ambición de convertirme en una bailarina profesional, era consciente de que tenía que retroceder un poco en mi camino y tomar las lecciones de baile necesarias como para poder salir del paso y quedar bien. Era una liga de alta competición, y si quería ganar, no tenía otro remedio que aprender a jugar. Así pues, asistí a clases diarias de danza, en ocasiones varias al día, para adquirir la competencia necesaria con la que salir del atolladero en la próxima audición. ¡Iba a conseguir el papel!

BARRERAS DEL LENGUAJE

Si no dominas con la suficiente fluidez el lenguaje de tu audiencia o si tienes un acento característico por haber nacido y haberte criado en el campo o un país extranjero, es natural sentirte inseguro y desarrollar un típico caso de miedo escénico.

En estas situaciones, el nerviosismo es una reacción bien fundada, ya que las audiencias evalúan la inteligencia, trasfondo cultural y nivel de formación del orador observando el uso que hace del lenguaje. Piensa en la percepción pública del presidente Bush siendo objeto de innumerables chistes de David Letterman y Jay Leno acerca de sus dificultades con la lengua inglesa. Estos juicios de valor, justificados o no, forman parte de la naturaleza humana.

Lo importante es comprender y creer que estás haciendo las cosas lo mejor que sabes, y tener el convencimiento de que incluso conseguirás hacerlo muchísimo mejor si sigues practicando. No caigas en la trampa de la autocrítica. Lo único que conseguirás es deprimirte ante la idea de que, independientemente de lo que hagas, las barreras lingüísticas siempre estarán ahí.

Tengo un cliente chino que asistió a uno de mis seminarios porque tenía la sensación de que su acento duro le impedía alcanzar el objetivo de convertirse, al igual que yo, en conferenciante en el circuito de oradores. Le di mi opinión profesional: su acento no era un obstáculo insuperable, sino la velocidad con la que hablaba. Lo hacía demasiado deprisa, tal y como suelen hacerlo los oradores cuando están nerviosos, con barrera lingüística o sin ella, y en consecuencia, era difícil comprender lo que decía.

Si era capaz de aprender a desacelerar y pronunciar las palabras con claridad, se sentiría más seguro de sí mismo y empezaría a olvidarse de su voz y su acento, únicos y distintivos.

GRAMÁTICA DEFICIENTE

Tengo varios clientes inteligentes, dinámicos y de un extraordinario talento que creen ser incapaces de alcanzar sus metas profesionales porque son conscientes de su hábito de utilizar una gramática deficiente.

Utilizo aquí el término «hábito» porque estas personas tienen una excelente formación y, en algunos casos, son magníficos comunicadores independientemente de sus carestías gramaticales al hablar. Vivimos en una sociedad que recibe de buen grado lo «relajado y natural» en todas las cosas, incluyendo la comunicación. No obstante, en su intento por conseguir este estilo relajado y natural como oradores, a menudo confundimos informal e impropio.

Por otro lado, algunas personas emplean palabras inadecuadas porque su gramática es deficiente a causa de una falta de educación.

En cualquier caso, nada menoscaba la credibilidad más que la incertidumbre acerca del uso de las palabras. Por suerte, las deficiencias gramaticales son un obstáculo fácil de vencer. Puedes seguir un curso de inglés en una academia, estudiar on-line o comprarte un libro de autoayuda para mejorar tu estilo gramatical; algunos son espléndidos.

MALAS EXPERIENCIAS PASADAS (LOGÍSTICAS)

Algunas personas con las que trabajo se alteran ante la perspectiva de pronunciar un discurso, hacer una presentación o acudir a una entrevista de trabajo a causa de malas experiencias pasadas de naturaleza logística, como contraposición a emocional (véase capítulo 4) y les preocupa que se repita la situación como si se tratara de un *déjà vu*.

Por ejemplo, tal vez el micrófono se apague cuando estaban a punto de empezar, y los escasos minutos que deben esperar hasta que el técnico se apresura a devolverlo a la vida les parezca una eternidad.

O quizá, a causa de una repentina corriente de aire, salen

volando los papeles y no hay forma humana de reordenarlos. Incluso vi a un orador principiante perder su sitio, no en su presentación, sino en el mismísimo escenario en el que estaba dando una conferencia, y precipitarse en el foso de la orquesta, sin duda un ejemplo extremo y una rara excepción a los clásicos infortunios que suelen acontecer. Sea como fuere, la excepción confirma la regla: los desastres ocurren. Algunas personas son capaces de recuperarse de inmediato y seguir adelante, mientras que otros quedan aterrados y paralizados. Afrontémoslo, si has tenido una mala experiencia de este tipo, es lógico que te preocupes aunque sólo sea un poquito de lo que podría suceder la próxima vez. El miedo se apoya en la realidad: ya ocurrió antes. Tu miedo está justificado, pero no debes alimentarlo constantemente hasta que se apodere de ti.

Las malas experiencias pasadas nos enseñan una importante lección: algunas cosas, tales como un micrófono que se avería y el texto del discurso que se esparce por el suelo, son inesperadas y por lo tanto están fuera de control. Pero también transmiten otro mensaje igualmente importante, si no más, acerca de lo que es el control. Como dice el refrán: «Hombre prevenido vale por dos». Las experiencias pasadas, buenas o malas, pueden erigirse en extraordinarios maestros de lo que se debe hacer para conseguir, con el tiempo, un resultado diferente.

Las buenas noticias

Las buenas noticias en relación con los obstáculos superficiales son que en realidad no son más que eso, cuestiones superficiales que se pueden abordar con facilidad, y en el caso de los mitos, erradicarlos mediante su identificación.

Así pues, aunque creas estar convencido de haber estado sufriendo una enfermedad incurable, ahora has descubierto que

Capítulo 4

Obstáculos ocultos: los seis miedos aterradores... y su procedencia

Permíteme hablarte de Jack. Es un hombretón de mirada penetrante que trabaja como capataz en una fábrica en Detroit. Está acostumbrado a comunicarse con individuos y pequeños grupos cuando da órdenes, una tarea que realiza concienzudamente, igual que Robert de Niro en *Taxi Driver*.

Recientemente, sus superiores diseñaron una estrategia destinada a fomentar la productividad, haciendo que los empleados se sintieran más implicados en la empresa. Como parte de esta estrategia, pidieron a Jack y otros en posiciones de autoridad en la planta que realizaran una presentación acerca de sus roles y responsabilidades respectivos en una próxima reunión a la que asistirían los cuatrocientos miembros de la fuerza de trabajo de la compañía.

Jack estaba muy preocupado ante la perspectiva de hablar ante un grupo tan nutrido como aquél. Temía que los nervios le impidieran articular las palabras, le atenazaran y lo paralizaran. Se sentía aterrorizado, pues tenía la sensación de que ello menoscabaría su credibilidad y le haría aparecer ante todos como un soberano incompetente, hiriendo su orgullo y autoestima. Incluso podía costarle el empleo.

Jack acudió a uno de mis talleres. Estaba aterrado, y no tardé en comprobarlo cuando llegó el momento de presentarse a los demás miembros del grupo. Se puso en pie y allí permaneció, en silencio. No tenía palabras; se palpaba la humillación que sentía.

Le animé a relajarse y luego le acompañé en el proceso de revelar, tomar conciencia y eliminar el problema que tanto lo acuciaba.

Empecé pidiéndole que me contara la experiencia más positiva y reconfortante que había tenido hablando o realizando una presentación ante un nutrido grupo de personas

Dijo que era incapaz de recordar ninguna.

«De acuerdo», repliqué. «Entonces háblame de tu peor experiencia, aunque no guarde la menor relación con el tema que nos ocupa o por muy insignificante que te parezca ahora.»

Resultó que, de niño, su familia se reunía en torno al piano cada domingo, en el salón, y cantaban canciones. Jack esperaba aquel momento con ansiedad, pues con los siete u ocho años que tendría, le encantaba aquella ocasión tan festiva.

Durante el verano, su familia pasaba las vacaciones en un complejo residencial en el que se celebraba un espectáculo para jóvenes talentos y en el que se animaba a los niños a participar. Jack no se lo pensó dos veces y se inscribió para interpretar el clásico de Frank Sinatra *I've Got You Under My Skin*, una de aquellas melodías con cuya música y letra estaba tan familiarizado.

La noche del show Jack subió al escenario lleno de entusiasmo, pero cuando el acompañante empezó a tocar los primeros compases, miró al público, entre el que figuraba su padre, su madre y sus hermanos, abrió la boca para cantar y... no pudo articular sonido alguno.

Ni siquiera reconocía la música que estaba sonando.

¿Era la introducción?

¿La estrofa?

Estaba petrificado.

«¿Qué ocurrió a continuación?», le pregunté. «¿Qué hiciste?»

Aún incómodo con el recuerdo de aquella situación, Jack prosiguió con su relato.

«No... sabía qué hacer —dijo—, así pues..., bajé del escenario.»

Pero antes de que pudiera hacerlo, su padre se levantó del asiento, se dirigió a él, le asió de los hombros y le sacudió, gritando (delante de todos): «¡Te quedarás aquí y terminarás la canción!».

La historia me pareció desgarradora, pero no infrecuente.

Muchas personas experimentan una terrible ansiedad asociada a la comunicación delante de un grupo. En los casos en los que no está tan arraigada como en Jack, su efecto puede ser meramente disuasorio, pero en otros, como en el de Jack, puede ser absolutamente inhibidor, pues se ha alimentado a lo largo de mucho tiempo, tal vez desde la infancia o adolescencia.

Hasta su llegada a nuestro taller, Jack jamás había pensado en el significado que tenía aquel incidente en su juventud. Para él todo se reducía a un recuerdo desagradable y lejano en la memoria; nada más. Y aun así, en el contexto de su capacidad para comunicarse abierta y cómodamente delante de un gran grupo, había tenido consecuencias poderosas e imprevistas en su vida diaria.

Los obstáculos superficiales que he descrito en el capítulo anterior impiden o erosionan la confianza de los oradores a causa de los mitos que albergamos acerca de lo que se necesita para ser un comunicador eficaz o de las habilidades de que carecemos. Las experiencias personales vividas en el pasado, a menudo en la infancia, y que nos retraen, es decir, lo que llamo obstáculos superficiales, actúan a un nivel más profundo.

Si podemos identificar el obstáculo oculto que impulsa el miedo escénico individual y revelar el misterio que esconde, es posible liberarse del mismo de una vez por todas o, en el peor de los casos, controlarlo.

Quizá parezca extremadamente simplista, pero puedo asegurar que después de muchos años ayudando a cientos y cientos de clientes a explorar las raíces de su ansiedad (y otros tantos de profundizar en las mías propias), sé que si estás resuelto a desembarazarte de tu miedo a enfrentarte a una audiencia, la respuesta es innegablemente sencilla.

Los seis miedos aterradores...

Escuchando durante tanto tiempo a cientos de clientes hablar de sus experiencias pasadas con el miedo escénico, he podido catalogar y describir los siguientes tipos de miedos más habituales que nos asaltan ante la perspectiva de hablar en público y que se convierten en obstáculos ocultos. Estos obstáculos indican que, en estos casos, en la ansiedad hay algo más que un simple mito relacionado con hablar en público o una inhibición asociada a una carencia desencadenada por un «control de carretera» asociado a una habilidad.

1. Miedo a la crítica o a ser juzgado (negativamente)

Este miedo puede ser asfixiante. A algunas personas les impide incluso intentarlo, pues tienen la sensación de que cualquier cosa que hagan no será lo bastante buena. En otras, los lleva a sobrecompensar ese sentimiento preparándolo todo tanto que no dejan espacio a la espontaneidad.

Kevin, por ejemplo, era un estudiante brillante que había obtenido un excelente 1600 en sus exámenes de grado. Era literalmente una perita en dulce para cualquier universidad y podía elegir la que más le interesara. Mientras se estaba preparando para su primera entrevista, sus padres acudieron a mí.

Les pregunté cuál era el problema y me dijeron que Kevin era muy tímido en situaciones en las que tenía que hablar delante de la gente. Lo estaba pasando realmente mal preparándose para aquella entrevista.

En nuestras conversaciones, Kevin reveló que su mayor desafío en el instituto había sido hablar en clase desde la tarima. Era incapaz de hacerlo aun a pesar de su nivel académico sensacional. Así pues, del contenido de sus exposiciones no tenía de qué preocuparse.

¿De qué tenía miedo?

Fruto de mi experiencia trabajando con otros como Kevin, en su mayoría adultos, y de los recuerdos de mi propia adolescencia, sabía que su incomodidad probablemente derivaba de un miedo a la crítica.

En un esfuerzo por averiguar por qué se sentía así, le pedí que me hablara de sus intereses y de lo que quería estudiar en la universidad. Eran coincidentes, dijo; siempre había amado a los animales y deseaba ser veterinario. Ya lo sabía porque así me lo habían comentado sus padres. ¿A qué se debía aquel extraordinario interés por el estudio de los animales?, les había preguntado.

«En realidad no lo sé —respondió su padre—. Kevin nunca se ha sentido atraído por los deportes como yo cuando tenía su edad; sólo por el estudio del reino animal.»

El padre de Kevin daba por sentado, al igual que otros muchos en este tipo de situaciones, que su hijo era «diferente» a los demás muchachos.

Kevin había captado aquel mensaje. Su timidez y falta de seguridad en sí mismo derivaban, en gran medida, de su miedo a ser catalogado de diferente a sus compañeros. Era una importante pieza del puzle.

Le expliqué hasta qué punto mi trabajo ha demostrado que todos somos «diferentes» y que las diferencias son precisamente lo que nos hacen únicos. Su afinidad por los animales y su deseo de ayudarlos era una pasión, algo de lo que muchas personas carecen; se sentía a gusto así. Le dije que incluso habiendo elegido una carrera «diferente» a la que sus padres podrían haber elegido, como nos sucede a muchos de nosotros, debía confiar a toda costa en su decisión precisamente porque le apasionaba. Si se concentraba en la pasión propiamente dicha y no en cuán diferente podía hacerle parecer, y en comunicarse de una forma genuina desde esta posición, sus padres, convencida como estaba de que eran excelentes personas y que amaban profundamente a su hijo, le apoyarían emocional e incondicionalmente, lo cual le permitiría hablar con el corazón con entusiasmo y confianza en sí mismo.

Kevin acudió a la entrevista (en realidad, tenía varias concertadas en distintas universidades a las que había presentado su solicitud de admisión) y fue aceptado en la que más le gustaba; su programa en veterinaria era excepcional.

Bastaron dos sesiones de trabajo con Kevin para descubrir su disuasor oculto y ayudarlo a desarrollar las habilidades físicas que necesitaba para proyectar con facilidad su «yo» auténtico y natural. Así pues, aunque en ocasiones desenterrar ese disuasor oculto puede ser difícil, superarlo no requiere años. Nada, ni siquiera el miedo a la crítica, es irreversible, y nunca es demasiado tarde para empezar.

2. MIEDO AL OLVIDO

Las razones que explican este miedo son diversas. Algunas son fáciles de solucionar, pero otras son más complejas y exigen una inspección más detenida.

Por ejemplo, cuando te preocupa quedarte en blanco en plena presentación o entrevista de trabajo, pierdes la concentración y se incrementan las probabilidades de hacer exactamente lo que tanto temes. En lo que realmente deberías concentrarte es en la preparación y el ensayo. La escasez de uno de estos factores o de ambos es lo que desencadena, en primera instancia, aquellos «momentos fantasmagóricos» bajo la luz de los focos.

Éste es el tipo más simple de miedo al olvido. Pero podrían haber otras fuentes, como en el caso de Jane.

Jane era la directora de una entidad de crédito local cuando le sugirieron que realizara reuniones periódicas de personal. Temía constantemente perder el hilo de la exposición y quedarse en blanco y parecer poco profesional, tal vez incluso ridícula. Se preparaba y ensayaba a conciencia las reuniones como le había aconsejado, trabajando duro para combatir su miedo, pero aun así persistía.

Le pregunté si en alguna ocasión había experimentado, en la infancia, adolescencia o edad adulta, alguna situación que pudiera recordar de haberse quedado en blanco delante de un grupo.

Meditó la pregunta durante unos instantes y dijo: «No, no recuerdo nada parecido».

«De acuerdo —respondí—, sigue pensando en ello, y si consigues recordar algo, cuéntamelo en la siguiente sesión.»

Cuando llegó ese día, me comentó que había hecho lo que le había pedido y que había recordado algo, aunque no estaba relacionado con los negocios.

Estaba en el instituto y había ensayado su papel en una obra de teatro durante un mes hasta conocer el texto de carrerilla. La noche del estreno, salió a escena, abrió la boca para hablar y todo aquel texto se había borrado de su mente.

«Me quedé en blanco», dijo.

«Bueno, ¿y qué hiciste?», pregunté.

«Me quedé allí de pie —replicó—. Me sentía fatal. Otro miembro del reparto tuvo que acudir en mi ayuda con algunos versos para cubrir mi silencio.»

Le pregunté cómo se sentía mientras estaba contando aquella historia, y ella respondió: «Incómoda». Aquel incidente, que creía haber disipado de su mente como una más de las cosas que le ocurren a todo el mundo en la adolescencia, seguía inquietándola al recordarla, tendiendo por primera vez un puente con su estado de ansiedad actual. A decir verdad, aquella situación en el instituto no era una más de aquellas cosas, sino algo muy significativo para su miedo presente al olvido en las reuniones de personal.

Pero ¿eran las repercusiones emocionales de aquel lejano incidente la única fuente del miedo al olvido que experimentaba Jane? Probablemente no. Sin embargo, había una estrecha correlación entre aquella situación y sus dificultades actuales.

Cuando explores las raíces de tus miedos (si dicho así te asusta, déjame decirte que la «expedición» también puede resultar divertida), ten en cuenta que estás buscando cuestiones relacionadas únicamente con la «interpretación en público». Si tienes problemas emocionales que van más allá del alcance de este libro y que te afectan a un nivel mucho más amplio, tal vez requieras un examen más profundo de un psicólogo o psiquiatra profesional preparado para abordar este tipo de cuestiones más complejas.

3. MIEDO A LA VERGÜENZA O HUMILLACIÓN

Lo último que desearíamos es ponernos en una posición en la que pudiéramos sentirnos humillados en público. Es un sentimiento que ocupa un lugar muy elevado en la lista de cosas a evitar. El miedo puede ser insuperable.

Oradores y presentadores expertos experimentan ese miedo como la mayoría de nosotros, pero lo controlan preparándose bien con antelación y diseñando un plan de contingencia ante los peligros inevitables que acechan más allá de plató, el escenario o la mesa de reuniones. Esto les permite enfrentarse con confianza a su tarea de hablar en público, conscientes de que ante cualquier imprevisto, serán capaces de manejarlo con comodidad. Reconocen el hecho de que son humanos y por ende vulnerables a los errores. Sabiendo que, tarde o temprano, la Ley de Murphy entrará en juego, viven con el mantra «¡No es el error lo que importa, sino cómo te recuperas!».

Es un importante principio que aprendí en las primeras etapas de mi carrera como actriz y que he tenido siempre presente desde entonces. No obstante, algunos oradores, presentadores y entrevistadores inexperimentados a menudo son incapaces de superar el miedo a sentirse avergonzados o humillados. Sufren graves síntomas debilitadores de anticipación, esperando resignados la hora en la que deberán enfrentarse a la aterradora situación y con la firme convicción de que no conseguirán sobrevivir a semejante y cruento sacrificio, o bien optando por evadir a toda costa la situación, con frecuencia en detrimento de su carrera.

Elizabeth, por ejemplo, una mujer joven cuyo miedo a aparecer en público y verse humillada era francamente palpable, compartió esta historia en uno de mis talleres de trabajo. Nos habló de una época en el instituto, no tan lejana para ella, cuando había tenido que ponerse en pie y recitar un poema que estaban leyendo en clase.

«No conseguía pronunciar correctamente una palabra —dijo—, de manera que el profesor me hizo salir al estrado y saltar a la pata coja mientras repetía una y mil veces aquella palabra.» No podía creerlo. Estaba convencida de que aquel tipo de «enseñanza» había desaparecido en la Edad Media, pero al parecer no había sido así.

Historias como la de Elizabeth se esconden muy a menudo detrás del miedo a la humillación que sentimos cuando nos sugieren que hablemos en público o que nos comuniquemos en cualquier entorno formal. Estas experiencias constituyen tremendos golpes bajos en nuestra autoestima que pueden dejar en el camino una devastación personal más que considerable.

El problema es que si no se aborda el miedo identificando la fuente y erradicándola, es muy probable que sus efectos sean permanentes, limitando gravemente al individuo personal y profesionalmente, al utilizar sólo una fracción de su capacidad más importante: el poder de hablar por sí mismo.

Pero las buenas noticias son, sin embargo, que esto no tiene por qué ocurrir. Al igual que Elizabeth en el taller de trabajo, también tú puedes conseguir convertir el miedo a la humillación en un vago recuerdo del pasado.

4. Miedo al fracaso (o al éxito)

En realidad, estos miedos son como las dos caras de la misma moneda.

Imagina un muchacho a punto de graduarse en el instituto, en el que ha demostrado su talento como jugador de béisbol en el equipo de la escuela. Algunos ojeadores de ligas superiores han estado observando su estilo de juego y lo han invitado a intentar probar fortuna en un equipo profesional. El padre del muchacho siempre se ha mostrado muy orgulloso de las proezas atléticas de su hijo, pero éste ha decidido no contarle que lo han invitado. Sólo con pensar que papá podría sentirse disgustado si fracasaba, o incluso peor, si triunfaba pero luego no conseguía graduarse, lo sometía a una terrible presión.

Finalmente, el día de la prueba llegó.

El muchacho había planeado salir de casa por la mañana a la hora acostumbrada, como si estuviera siguiendo su rutina diaria normal, y luego tomar el autobús, acudir a la prueba y regresar sin que nadie se hubiera enterado. Pero entonces, en el último momento, cuando estaba a punto de subir al autobús...

No pudo hacerlo.

Dio marcha atrás.

Las puertas se cerraron y el autobús se alejó.

El riesgo de fracasar o de tener éxito ahora a cambio de fracasar más tarde había demostrado ser insuperable para él, un miedo excesivo. Así pues, nunca hizo la prueba y nunca supo si hubiera sido capaz de entrar en el equipo e iniciar una carrera en la liga profesional. Sin riesgo no hay fracaso. Fácil. Pero por supuesto no tan fácil; el recuerdo le perseguirá durante toda su vida.

El muchacho se había preparado para la prueba desarrollando las técnicas necesarias para recibir una invitación, pero no había completado su preparación, pues nunca se enfrentó al disuasor oculto que en última instancia le impidió seguir adelante y subir al autobús. Si este tipo de comportamiento arraiga y se convierte en algo habitual, no necesitará obstáculos que propicien su fracaso; simplemente seguirá cortocircuitando sus propias oportunidades.

5. MIEDO A LO DESCONOCIDO

¿Recuerdas la excitación que sentías de niño cuando salías de campamento o pasabas las vacaciones con tu familia? No podías esperar a que llegara aquel día tan señalado. Estabas dispuesto a conquistar el mundo, listo para afrontar cualquier aventura sin saber, ni preocuparte lo más mínimo no saberlo, lo que encontrarías más adelante.

Luego sucedió algo desafortunado.

Creciste y te hiciste adulto.

Empezaste a planificarlo todo, a sobreprepararte y a sobrepreocuparte con minucias que, en muchos casos, estaban más allá de tu capacidad de control. En resumidas cuentas, habías echado a perder la diversión.

Seguro que has hecho planes de viaje, reservado habitaciones en hoteles y tal vez concertado la realización de determinadas actividades antes de salir. Pero también es importante dejar espacio a esos momentos deliciosamente inesperados de espontaneidad que muchas veces se convierten en la parte más interesante de un viaje.

¿Qué tiene esto que ver con hablar en público sin miedo?

Te estás preparando para dar una conferencia o realizar una presentación a un grupo de veinte o tal vez cien personas. A medida que se aproxima el día, te das cuenta de que todo cuanto has planificado de antemano no te resultará de ayuda en el caso de que surjan situaciones imprevistas que, por lo demás, siempre suelen ocurrir, como por ejemplo, controlar la crisis de nervios que se apodera de ti la mañana del evento, sentirte excesivamente estresado a la hora de subir al podio y... mostrarte encantador y fascinante ante todas aquellas caras expectantes.

Consciente de que una situación de este tipo se puede producir independientemente de cuánto hayas planificado con antelación tu aparición en público, te invade el pánico; de repente descubres que lo peor que podías imaginar se ha producido. Pierdes el control.

En situaciones de hablar en público, el miedo a lo desconocido se traduce en miedo a la pérdida de control, y para sentirnos seguros, tenemos la sensación de que debemos controlar cada variable (humana, medioambiental, técnica, etc.), lo cual, al igual que en la vida, no es realista. Controlar todo cuanto nos espera a la vuelta de la esquina es simple y llanamente imposible. Con todo, dicho esto, te pido que escuches con atención: controlar el miedo a perder el control es posible.

6. Miedo a malas experiencias pasadas (emocionales)

Si tuviste alguna mala experiencia en el pasado relacionada con hablar en público o fracasaste en una entrevista de trabajo y temes que se pueda repetir de nuevo, es muy probable que así sea. Este tipo de pensamientos suelen preceder a la acción. En efecto, a menudo los pensamientos negativos desencadenados por emociones igualmente negativas generan resultados negativos.

Dicho de otro modo, el cuerpo y la mente identifican los pensamientos negativos y responden consecuentemente. Coincido plenamente con el tenor de esta teoría, y no soy ni mucho menos la única. Se han escrito muchos libros sobre este particular y así lo han demostrado.

Quien más quien menos habrá visto en alguna ocasión caer a un esquiador o gimnasta, levantarse y continuar, tal vez con dificultades al principio, pero capaces de recuperarse de inmediato. También hemos visto caerse a otros de un modo similar o incluso más leve y ser incapaces de recuperar su confianza y compostura. ¿Dónde reside la diferencia? Por supuesto que, en parte, depende de la técnica, habilidad y experiencia, pero el elemento clave es cómo pensamos.

Una vez asistí a un seminario sobre este tema en el Fashion Institute of Technology, en la ciudad de Nueva York. Nos pidieron que nos emparejáramos. A continuación, el moderador seleccionó a un miembro de cada equipo, el «sujeto», sugiriéndole que extendiera el brazo a la altura del hombro y paralelo al suelo mientras dejaba que el otro brazo quedara suspendido en el costado en una posición relajada. Luego les dijeron que pensaran en una experiencia o persona agradable que les hiciera feliz y que se concentraran en esta idea. «Asentid cuando estéis listos», dijo el moderador.

Acto seguido, indicó al otro miembro de la pareja que presionara el brazo extendido de su pareja hacia abajo con todas sus fuerzas mientras aquélla seguía concentrada en el pensamiento feliz, ofreciendo la máxima resistencia posible. Tanto si el sujeto era una mujer y su pareja un hombre mucho más fuerte, no influía en el resultado, invariable para el 80 % de los equipos. La pareja era incapaz de mover el brazo extendido del sujeto. La resistencia era insalvable.

Más tarde, el moderador del seminario invirtió la instrucción. Esta vez sugirió pensar en una situación o persona que les hiciera desdichados y que mantuvieran el brazo extendido mientras su pareja tiraba de nuevo del mismo hacia abajo. El resultado fue idéntico: 80 %…, pero de brazos caídos, ofreciendo escasa o nula resistencia independientemente del esfuerzo.

Un estado mental negativo se traduce casi siempre en un resultado negativo. Es una regla importante aplicable no sólo cuando se trata de hablar en público, sino a todos los aspectos de la vida. Si crees que vas a fracasar, probablemente fracasarás, pero si estás resuelto a no hacerlo, tomarás las medidas oportunas para garantizar el triunfo. Lo cierto es que si has tenido una experiencia traumática desde una perspectiva emocional como orador público en el pasado, como por ejemplo, quedarte petrificado como Jack en la historia del principio de este capítulo, también tendrás, como él, la posibilidad de elegir cómo quieres manejar el futuro.

… y su origen

¿Qué induce a caer en la recia tenaza de estos Miedos Aterradores? Desde luego no nos levantamos una mañana y decimos: «Hoy no quiero ir a la escuela porque temo fracasar», o «Voy a fracasar a propósito en la reunión de esta tarde porque me asusta el éxito».

Estos obstáculos ocultos tan habituales tienen su origen en poderosos mensajes negativos que hemos recibido en algún momento de nuestra vida y que hemos interiorizado y alimentado a lo largo de los años, aflorando en forma de inhibiciones que, en la mayoría de los casos, jamás hubieran tenido que aflorar.

Estos potentes mensajes llegan hasta nosotros desde una o quizá todas las fuentes siguientes:

- transmisores de nivel 1: nuestros padres;
- transmisores de nivel 2: los hermanos;
- transmisores de nivel 3: los iguales y las figuras de autoridad fuera del entorno doméstico (profesores, sacerdotes, etc.).

No se trata de culpa

Permíteme ahora dejar algo bien claro para que no exista confusión alguna. Si una observación negativa o comentario tajante realizado por alguien importante en nuestra vida durante los años de formación sigue causando estragos en nuestra capacidad de hablar sin miedos, debemos reconocer que esta observación o comentario sigue habitando en nuestro interior porque así lo hemos querido.

Como adultos, somos responsables de trazar nuestro propio curso en la vida, y tanto si optamos por permanecer aferrados al pasado como si preferimos seguir adelante y crear nuevas oportunidades, la decisión es exclusivamente nuestra.

Transmisores de nivel 1. Nuestros padres

Una amiga mía enseña ballet a bailarinas inexpertas y avezadas. Recientemente, me hizo un comentario acerca de cómo ofrece *feedback* a sus alumnas. «Básicamente, hay tres tipos de *feedback* —dice—. Constructivo, destructivo y demasiado temprano. Decir a alguien que llegará a ser una bailarina extraordinaria cuando carece de gracia y ritmo en sus movimientos no sólo es poco realista, sino también injusto. Pero decirle que no tiene gracia y ritmo en sus movimientos constituye un atentado contra la imagen que tiene de sí misma.»

Como profesora es plenamente consciente del poder de sus comentarios. Si alguna de sus alumnas de fase inicial no presenta el menor signo de poder convertirse en una gran bailarina, sigue animándola para que continúe intentándolo, sin miedo a la humillación, y sacar lo mejor de sí misma cualquiera que sea el talento que posea. La alumna desarrollará una autodisciplina que le servirá en el futuro en su búsqueda de objetivos más realistas.

«Si consigo evitar que se den por vencidos demasiado pronto, ¿quién sabe adónde serán capaces de llegar?», sigue diciendo mi amiga. Toda su filosofía consiste en dejar que sus alumnas decidan por sí mismas si están o no capacitadas para desarrollar una carrera profesional en ballet. «Por lo menos su autoimagen permanece intacta, y más que otra cosa en el mundo, exceptuando quizá la buena salud, les permitirá afrontar todo cuanto les depare el futuro», asegura. Por desgracia, muchas de las personas en nuestra vida que influyen en nuestra autoestima no son conscientes, como mi amiga, del poder de sus palabras.

Aunque los comentarios de nuestros hermanos, iguales, profesores, etc., tienen una poderosa influencia en lo que aceptamos y no aceptamos e incluso creemos como verdades indiscutibles, los padres u otros cuidadores primarios son los transmisores humanos más potentes de los mensajes que conforman nuestras actitudes, nuestras percepciones del mundo y cómo nos sentimos.

Su influencia se inicia literalmente el mismo día en que nacemos; sus palabras regirán durante los años clave del desarrollo. De ahí que la ansiedad ante una exposición en público que se pueda derivar de sus palabras, intencionadas o no, tenga unas raíces tan profundas y sea uno de los obstáculos más difíciles de desenterrar y eliminar.

Doug cambió de trabajo mediada la cuarentena para asumir una importante posición directiva en una gran compañía. Aportaba a su nuevo empeño un trasfondo creativo en el que su habilidad interactuando con toda clase de personas para llegar a buen puerto todo tipo de proyectos atrajo la atención del nuevo empresario. En su nuevo cargo, es responsable no sólo de supervisar un gran departamento, sino también de dar conferencias trimestrales a un nutrido grupo de analistas de empresa que están bajo sus órdenes.

Lo primero que advertí en Doug cuando vino a mí en busca de ayuda para perfeccionar su discurso fue la forma tan divertida, seductora, extremadamente articulada, enérgica y segura de sí mismo con que expresaba sus ideas. Al hablar, me veía obligada a escucharlo. Pero luego, cuando lo vi en una de sus conferencias a sus empleados, emergió otro Doug muy diferente: el Doug público se mostraba sumamente inhibido. Hablaba casi en un susurro y era prácticamente imposible oírlo.

Realizamos algunos reajustes en su técnica, como por ejemplo mantener un mayor contacto visual y proyectar la voz, lo cual por sí solo debería de haberse traducido en una exposición mucho más dinámica. Pero no fue así. Seguía manteniendo una voz baja e inexpresiva; se mostraba incapaz de emplear aquellas técnicas. Nuestro trabajo no había terminado.

A medida que fuimos explorando el problema, Doug reveló que le resultaba extremadamente difícil mostrarse físicamente expresivo delante de un grupo de personas, y cuando le pregunté por qué, al principio respondió que no lo sabía, pero al final resultó ser que sus padres eran miembros muy respetados de la comunidad, y como tales, le habían dicho durante la infancia y adolescencia que era inapropiado llamar la atención en público y mostrarse como si fuera el centro del mundo. Hacerlo, decían, le convertía en una especie de exhibicionista.

Le expliqué que comunicarse con una audiencia exigía una cierta dosis de exhibicionismo, en el sentido de tener que reunir y hacer gala de una energía física mayor de la necesaria en un diálogo con un solo individuo.

«Es la diferencia entre actuar sólo para la primera fila de un teatro porque es únicamente a esas personas a las que quieres llegar y hacerlo para las filas delanteras y traseras si tu objetivo es comunicar el mensaje a todo el público», dije. El dictado familiar de lo que constituía exhibicionismo estaba minando su capacidad de interpretar satisfactoriamente un papel clave en su trabajo. Le comenté que no estaba sugiriendo una transformación, sino que lo único que necesitaba era inyectar mucha más energía en sus «representaciones» con el fin de que la audiencia no se llevara la impresión de que era una persona falta de determinación e insegura de sí misma. Antes de nuestra conversación, no tenía ni idea de que su actuación era realmente tan deficiente en este tipo de situaciones. No conseguía transmitir la imagen que intentaba proyectar, la de un líder fuerte y decidido capaz de ganarse la confianza de su tropa.

Por otro lado, las consecuencias de las palabras de sus padres habían calado incluso más hondo si cabe. Su mensaje, dirigido a Doug-niño, había generado una lucha de poder que se había mantenido a lo largo de los años y que seguía arraigado en el ahora Doug de mediana edad. Era una lucha relacionada con la medida en la que sería capaz de triunfar sin convertirse en un exhibicionista. Aunque evidentemente sus padres no habían pretendido en ningún caso causar un daño emocional a su hijo, el resultado de aquel mensaje había sido precisamente éste. Sus palabras habían contribuido a crear en Doug una actitud o creencia que no le ayudaba en sus objetivos de adulto.

Una vez puestas las cosas sobre la mesa, todo empezó a recomponerse rápidamente. Aprendió a no sumirse en la autoconmiseración pensando en sí mismo como una víctima ni a experimentar una imperiosa necesidad de enfrentarse y castigar a sus padres por el efecto que habían tenido sus palabras para vencer sus inhibiciones. Fue suficiente reconocer su existencia e identificar su origen para liberarse de ellas.

Más tarde le enseñé a utilizar el lenguaje corporal y la voz para potenciar y proyectar sus ideas a una audiencia, de manera que sus empleados le prestaran atención y se implicaran en la exposición. Ahora es capaz de hablar abierta y cómodamente en diferentes situaciones públicas. Incluso confiesa mostrarse dispuesto a mostrarse «exhibicionista, aunque sólo un poquito».

Sin embargo, la intención que subyace debajo de los mensajes parentales y que influyen en nosotros puede no ser tan benigna, ni tampoco sus repercusiones. Una mujer con la que trabajé era una auténtica oradora-dinamita. Hablar en público no suponía ningún problema para ella. Lo tenía todo: imagen profesional, una amplia y cautivadora sonrisa, y una técnica sólida. No obstante, antes de cada discurso, sufría angustiosos ataques de pánico. Le pregunté qué era lo que temía que pudiera suceder, y ella dijo que tenía miedo de no estar a la altura de las expectativas de la audiencia y que la gente concluyera que en realidad no era lo que pretendía proyectar acerca de sí misma.

¿De dónde procedía aquel miedo?, me preguntaba. A medida que fuimos profundizando en esta cuestión, se evidenció que había sido educada por unos padres extremadamente exigentes. Si regresaba a casa con menos de A en la cartilla de calificaciones en alguna asignatura, le regañaban severamente por no haber sido capaz de poner en juego todo su potencial, advirtiéndola de desagradables consecuencias si se repetía en el futuro.

«Recuerdo haber presentado en una ocasión la cartilla con una matrícula, tres sobresalientes y dos notables —dijo—. ¡Mis padres se enfurecieron!» «¿Cómo has podido hacernos esto? —gritaron—. ¿Cómo te atreves a traernos notables cuando estamos trabajando tan duro para que tengas cuanto necesitas para sacar sobresaliente? ¡Si sigues así, nunca llegarás a nada!»

Sólo después de compartir aquella historia conmigo empezó a comprender lo que realmente se escondía debajo del pánico que sentía antes de subir al podio. El incidente de la cartilla de calificaciones se había perpetuado en su mente. «Las cosas eran tal cual eran.» Ahora, confiesa, era importante analizar aquellas situaciones conflictivas y sus consecuencias desde su nueva perspectiva actual como persona adulta y madura.

Éste es el objetivo de hurgar en las historias personales y compartir lo que nos pueden revelar. Lo que se pretende es identificar aquellos mensajes de nivel 1 que se han convertido en nuestros obstáculos ocultos más espinosos. Los mensajes de nuestros padres y otros cuidadores primarios actúan como un semáforo en rojo: ¡STOP! Debemos cambiar esta señal a luz verde para poder convertirnos en comunicadores persuasivos y eficaces.

Transmisiones comunes de nivel 1

Éstos son algunos de los mensajes típicos que mis clientes han identificado como «controles de carretera» personales que minan su seguridad en sí mismos y les impiden mostrarse como oradores y comunicadores eficaces. Utiliza esta lista a modo de recordatorio o como punto de partida para descubrir tu disuasor oculto, si existe. Te ayudará a comprender mejor el proceso de eliminación que examinaremos más adelante en el capítulo 5.

«A los niños se les debería ver, no oír.»
«Nunca llegarás a nada.»
«No seas exhibicionista.»
«Deberías ser mucho más inteligente para que los demás escucharan lo que tienes que decir.»
«Tu hermana es la guapa e inteligente de la familia.»
«Tu hermano tiene don de gentes; tú no.»

TRANSMISORES DE NIVEL 2. LOS HERMANOS

Aunque no tienen tanta influencia como los de nuestros padres, los mensajes negativos de nuestros hermanos modelan la imagen que tenemos de nosotros mismos de un modo insospechado. Una vez más, al igual que con la transmisión de nivel 1, el alcance del daño que pueden causar los comentarios de nuestros hermanos está determinado por la potencia de los mismos y la etapa de desarrollo en nuestra vida en la que se hacen.

Algunos hermanos se apoyan incondicionalmente, pero otros se muestran tan competitivos que, al igual que Caín y Abel, ¡sólo uno puede sobrevivir!

¿Te resulta familiar esta historia? Una de mis clientes me dijo que cuando era niña le pidieron que cantara en un concurso de beneficencia para talentos infantiles; tenía una voz preciosa. Después del show, su hermana, un año o dos más pequeña que ella, comentó que había desafinado, concluyendo con un *coup de grâce*: «¡Cantas fatal!».

Hasta la fecha, mi cliente, que desde siempre ha tenido una voz maravillosa, es incapaz de cantar en público. En realidad, el poder del comentario negativo de su hermana, independientemente de haber estado alimentado por unos celos más que evidentes, ha continuado mermando su seguridad en sí misma en otras áreas de exposición pública, como en el caso de presentaciones a sus compañeros de trabajo y a clientes.

Esta situación no es infrecuente. Tanto si el mensaje transmitido por un hermano durante la etapa de crecimiento es fruto de los celos y está destinado a causar una herida superficial como si se trata de un flechazo directo con la intención de hundirnos, sus efectos negativos pueden ser duraderos, y una de las áreas en las que tales efectos pueden aflorar a la superficie como inhibidores es cualquier situación que nos obligue a presentarnos en público. Los comentarios de nuestros hermanos y hermanas continúan resonando en nuestra mente como si se hubieran pronunciado ayer, creando escudos de autoprotección. Como resultado, limitamos la gama de recursos emocionales, aprovechando sólo una pequeña parte de lo que está a nuestro alcance.

Transmisores de nivel 3. Los iguales y las figuras de autoridad fuera del entorno doméstico

Iguales

Si observas a los niños cuando juegan, descubrirás una interesante diferencia entre los dos sexos. Los niños se atacan verbalmente, se pelean y compiten en actividades de fuerza física, pero luego cada cual sigue su camino como si nada hubiera sucedido, independientemente de cuán fogosa fuera la riña.

Por ejemplo, un típico intercambio entre niños que se saludan podría ser el siguiente:

«Hola, ¿cómo estás? ¡Qué camisa más fea llevas!»

Transmisiones comunes de nivel 2

Éstos son algunos de los mensajes negativos típicos de hermanos tal y como los han contado los asistentes a mis talleres de trabajo. Identifica tu disuasor oculto de entre los de esta lista, o si no está, añádelo. Si descubres un disuasor oculto, este ejercicio te ayudará en el proceso de eliminación del capítulo 5.

«Mi hermana me dijo que cuando me ponía en pie para hablar me parecía a mamá. ¡No me gusta mi madre y no quiero parecerme a ella!»

«Desde luego, eres incapaz de contar un chiste divertido.»

«Tu hermano y yo somos inteligentes. ¿Por qué tú no?»

«Mi hermana dice que tengo una voz horrible.»

«Eres gorda y no gustas a nadie.»

«Déjame hablar a mí. Siempre lo haces mal.»

«Tu cara también, chaval.»

Ésta es la regla entre los niños en estas situaciones: Nunca debes demostrar que te han herido.

Imagina ahora a una niña aproximándose a otra. «¡Hola! ¡Vaya, qué vestido más feo llevas!, y ¿de dónde has sacado estos zapatos tan horribles?»

La respuesta en este caso probablemente sea radicalmente distinta; la destinataria del comentario sollozará o no podrá reprimir el llanto, y correrá a casa, encerrándose en su habitación durante días. Diferentes enfoques para diferentes sexos.

No hace falta reiterar aquí lo que los expertos en el campo de la psicología infantil han dicho y escrito sobre el tema de la presión de los iguales en nuestro desarrollo. Todos hemos pasado por esto. Si alguna vez has respondido incorrectamente a una pregunta en un examen oral delante de toda la clase y te sientes humillado (real o imaginariamente) por tus compañeros, comprenderás la influencia que pueden tener los iguales. Años más tarde, cuando tu jefe te convoca a una reunión del personal para presentar un informe actualizado de las cifras de ventas del departamento, puedes experimentar un repentino sudor frío y pensar sin saber por qué: «¡Dios mío! ¿Y si cometo un error?». Así de poderosos pueden ser los mensajes positivos o negativos que recibimos de nuestros iguales. Pero lo cierto es que no tienen por qué perdurar. Se deberían sacar a la superficie para sustituirlos por sentimientos positivos que contribuyeran a satisfacer necesidades más constructivas.

Recuerda cuán importante era en la escuela, el instituto e incluso la universidad «estar a la moda». ¿Cruzar la línea y dejar de serlo? ¡Antes muerto!

Cada generación define sus estándares de lo que es estar y no estar a la moda, y es difícil desafiarlos. Se necesita coraje, y aun así te arriesgas a ser juzgado negativamente. Estar a la moda está legitimado. Me pregunto si Eleanor Roosevelt, Stephen Covey o

Bill Gates estaban considerados no a la moda por sus iguales durante la infancia y adolescencia. De ser así, ¿no es mejor reír quien ríe el último?

Uno de mis clientes es gay. Durante la adolescencia se sentía muy incómodo a causa de su incipiente sexualidad. En el juego o en clase, cuando mostraba entusiasmo o excitación, su gesticulación física tendía hacia el «afeminamiento», y claro, sus iguales se mofaban de él. Hoy lo ha superado, pero ante la perspectiva de hablar en público, algo lo transporta emocionalmente a aquellos días de escuela, intentando disimular hasta el más mínimo signo de «afeminamiento». Procura contrarrestarlo con un estilo de presentación estático, exento de buen humor y falto de energía. A decir verdad, su estilo está al borde de ser una caricatura del estereotipado «hombre con un traje de franela», una imagen que nada tiene que ver con la auténtica.

A medida que fuimos conversando y empecé a darme cuenta de lo que realmente estaba ocurriendo, abordé la cuestión con delicadeza, señalando que al ser incapaz de dar más de lo que era en verdad en sus presentaciones, su audiencia de clientes tenía instintivamente la impresión de que algo andaba mal, y esto se traducía en una falta de credibilidad, incluso de honestidad.

Figuras de autoridad fuera del entorno doméstico

La segunda fuente más importante de transmisores negativos de nivel 3 son los comentarios gratuitos, inadecuados y en ocasiones desconsiderados de un profesor, tutor, *coach*, consejero espiritual u otra figura en una posición de autoridad y respeto con quien se mantiene un contacto duradero durante los años de formación.

Son innumerables las historias que he oído en mis talleres de trabajo acerca de incidentes de la infancia o adolescencia de mis clientes relacionados con críticas o comentarios negativos de un adulto diferente del padre o la madre pero que al que se les había enseñado que debían tener en alta estima. Y al ser niños, creían que lo que decía el adulto debía de ser cierto, cargando con aquella «verdad» a sus espaldas durante muchísimo tiempo.

Steven, por ejemplo, era un ejecutivo de nivel intermedio deseoso de ascender en la jerarquía de una firma de rápido crecimiento en la que actualmente era director de marketing. Era un tipo simpático, amable y de voz dulce y suave; en resumidas cuentas, un encanto de hombre. Y éste era precisamente el problema. Su forma de ser motivaba más a darle un tierno abrazo que a comprar lo que vendía, un factor que poco o nada potenciaba su imagen de directivo ambicioso.

Le sugerí que añadiera un poquito de salsa a la forma en la que se presentaba, elevando ante todo el nivel de la voz. Y así lo hizo. Luego sucedió algo muy curioso. Empezó a mostrarse más y más retraído hasta que por fin nadie en el taller podía oírlo hablar.

«Perdona, Steven —dije—. Tal vez me hayas entendido mal. ¿Podrías hablar en voz más alta? Apenas te oímos.»

«Me cuesta hablar en voz alta —replicó—. Me da la sensación de estar abrumando a la gente, y eso no me gusta.»

Coincidí con él en que mostrarse prepotente con quienes están escuchando resultaba inapropiado, pero también le comenté que entre hablar en voz alta y abrumar había muchísimos decibelios de diferencia.

Me preguntó si podía contar algo más acerca de la cuestión, y le animé a que continuara. Contó un incidente de cuando estaba en sexto grado. Su familia acababa de mudarse a la zona y era su primer año en la nueva escuela. Se aproximaban las elecciones estudiantiles y decidió participar. Se presentó a presidente de la clase, y dada su simpatía natural, que le permitía hacer amigos con facilidad, consiguió muchos adeptos.

La campaña se desarrolló como de costumbre hasta que quedaron dos candidatos que debían competir por la presidencia, él y otro alumno que llevaba varios años en la escuela. Se organizó un debate final para determinar quién sería el ganador. Steven estaba a punto de subir al estrado para pronunciar el discurso de campaña con el que esperaba llegar hasta lo más alto cuando el profesor que supervisaba el proceso electoral, y que por cierto debería ser quien decidiera el resultado final, se aproximó a él y le indicó cuán injusto sería que se convirtiera en el presidente de la clase de sexto a costa del otro muchacho simplemente porque era más popular y un recién llegado.

«Me sentí morir —dijo—. Tras haber escuchado aquellas palabras, ocupé mi lugar en el podio y... quedé petrificado. No pude abrir la boca. Aun así, la clase aplaudió. Pero las elecciones habían terminado.»

Básicamente, aquella figura de autoridad le había criticado duramente por ser extravertido y sociable. El chico se tomó muy a pecho aquel mensaje negativo, ya que después de todo procedía de un profesor, de manera que tenía que ser cierto. Ahora, incluso de adulto, cuando se dirigía a un grupo de personas, aun tan reducido como el de los asistentes al taller de trabajo, suprimía radicalmente su energía natural, su carisma y su poder de persuasión para que nadie pudiera interpretarlo como un intento de «avasallar».

Llegados a este punto, ya debes de haberte hecho una idea de lo que está en juego en tu situación particular, que evita que te sientas competente al hablar en público. Cada situación y cada persona es diferente, y no debes olvidar que sólo tú tienes la llave que abre esta puerta.

Transmisiones comunes de nivel 3

Éstos son algunos de los mensajes negativos típicos de iguales y figuras de autoridad, tales como profesores y sacerdotes, que han contado los asistentes a mis talleres de trabajo. Identifica tu disuasor oculto de entre los de esta lista, o si no está, añádelo. Si descubres un disuasor oculto, este ejercicio te ayudará en el proceso de eliminación del capítulo 5.

«¡Qué respuesta más estúpida! ¡Siéntate!»

«Ya deberías haberte dado por vencido. Los niños como tú nunca llegan a nada.»

«Si participas en la obra de teatro escolar, lo echarás todo a perder.»

«Las mujeres deben ser reservadas y ocultar cualquier signo de inteligencia.»

«En este equipo no quiero demostraciones emotivas.»

«Has cantado fatal. ¡Fallaste una nota!»

En el siguiente capítulo aprenderás a identificar tu problema específico y a eliminar el residuo emocional derivado de mensajes indeseados que obstaculizan tu progreso.

Capítulo 5

Más allá de las barreras

Cuestión de autenticidad

Como actriz joven y con aspiraciones, era muy excitante para mí ser capaz de expresarme a través de las voces de tantos y tan dispares personajes. Pero a medida que fui entrando en años, la posibilidad de encontrar mi propia voz fue adquiriendo mayor importancia. Esto es en mi opinión lo que todos intentamos conseguir como oradores públicos: comunicar a los demás con naturalidad y facilidad ese ingrediente extra exclusivo de cada cual, ya sea nuestro estado de ánimo, nuestra pasión o ambos.

Puedo hallarme frente a un orador de maneras poco refinadas que me subyugue o ante las palabras de un profesional exquisito que no consiga despertar en mí el menor atisbo de emotividad. Muy a menudo, la diferencia se puede resumir en una sola palabra: autenticidad.

La autenticidad es nuestra forma de responder con entusiasmo en calidad de oyentes. Ésta es la razón por la que animo a mis clientes a trabajar como oradores y comunicadores a conseguir un estilo de comunicación que sea un reflejo de quienes son en realidad, no una falsa noción o imitación de alguien o algo que creen que podrían llegar a ser.

El diccionario define «auténtico» como «genuino». Cuando

oímos las palabras de un orador genuino, nos parece creíble y, en consecuencia, íntegro y digno de confianza.

Ser auténtico significa compartir una experiencia humana y ser capaces de modelar los mensajes de formas comprensibles. Implica conocernos a nosotros mismos y ser conscientes de todo cuanto nos emociona. Es algo muy personal relacionado con nuestro «yo» como individuos y lo que habita en nuestro interior.

Sentirse bien con quien se es, es esencial para conseguir un estilo de comunicación auténtico, aquel que te acompañará durante el resto de la vida a medida que vayan cambiando tus actitudes y a medida también de que tu personalidad se remodele paulatinamente a causa de nuevas experiencias. El objetivo consiste en encontrar nuevas formas de aportar más de nosotros mismos en nuestras apariciones en público.

Crear esta posibilidad puede ser un proceso extremadamente reconfortante. Aquí, la palabra clave es «proceso». Sólo si has afinado correctamente el instrumento conseguirás que tu auténtica voz resuene alta y clara.

Empezaremos identificando y eliminando el obstáculo oculto que te impide o disuade completamente ante la perspectiva de realizar una presentación o acudir a una entrevista.

En el proceso de eliminación intervienen cuatro ejercicios:

Ejercicio 1: Descubrir y reconocer
Ejercicio 2: Liberarse
Ejercicio 3: Reenfocar
Ejercicio 4: Visualizar y hacer real

Si tienes que hablar en público, hacer una presentación o una entrevista de trabajo, estos ejercicios, en combinación con el conjunto de técnicas prácticas que examinaremos en la segunda parte de este libro, te prepararán para afrontar estos retos y evaluar las oportunidades que representan de un modo que nunca antes has experimentado.

Con la máxima antelación posible al discurso, presentación o entrevista, realiza cada ejercicio siguiendo el orden establecido. No pases al siguiente sin haber completado el anterior.

¿Con qué frecuencia deberías repetir este proceso?

Eso depende.

A los Evitadores y Anticipadores les recomiendo que lo hagan cada vez que se les presente la oportunidad de hablar en público, hasta que llegue el día señalado, que por cierto suele llegar más pronto de lo que uno puede imaginar, y sean capaces de responder a la idea de dirigirse a una audiencia con un «¡Sí!» entusiasta.

Por otro lado, los Adrenalizadores e Improvisadores tal vez no necesiten completar todo el proceso. Les aconsejo que, varios días antes de la exposición en público, realicen los ejercicios 3 y 4 como una forma de controlar su energía y/o concentrar sus prioridades en las tareas que hay que completar.

EJERCICIO 1: DESCUBRIR Y RECONOCER

Traza una línea vertical en una hoja en blanco que la divida en dos. En el extremo superior de la columna izquierda escribe lo siguiente:

«Lo **peor** que podría suceder es...»

Ahora piensa rápido y confecciona una lista de resultados negativos a los que sueles temer más a menudo cuando tienes que ponerte en pie y hablar delante de la gente, realizar una presentación a un grupo o ser entrevistado para un empleo o ascenso (véase figura 1). Veamos algunos ejemplos: «Tengo miedo a...»

- «perder el control de la situación.»
- «quedarme en blanco.»

- «que me critiquen.»
- «parecer estúpido.»
- «perder el hilo de mi discurso y no encontrar las palabras adecuadas.»
- «que se rían de mí.»

Sé espontáneo y sincero al responder. No medites demasiado las respuestas ni las corrijas una vez escritas. Aquí no cabe lo correcto ni lo incorrecto, y no importa que la lista contenga tres o treinta frases.

Figura 1

Lo __peor__ que podría suceder es...

perder el control de la situación

quedarme en blanco

que me critiquen

parecer estúpido

Una vez completada la lista de «lo peor», reléela y, debajo de cada frase, en la misma columna, escribe lo que te sugiere cada una de ellas (véase figura 2), es decir, ¿cómo te sientes al valorar cada situación? Si la respuesta es profundamente emocional o incluso física, estás en el buen camino. Por ejemplo, tener miedo de la crítica quizá te haga sentir avergonzado o humillado, mientras que la perspectiva de quedarte en blanco podría enojarte o traducirse en una opresión en el pecho.

Asimismo, cuando consideres tus sentimientos en relación con cada «peor» de la lista, es muy posible que te sientas ligeramente incómodo. También es positivo. Tampoco aquí cabe lo correcto ni lo incorrecto.

Figura 2

*Lo **peor** que podría suceder es...*

perder el control de la situación

quedarme en blanco

*que me critiquen**** avergonzado
humillado*

parecer estúpido

Una vez finalizada esta parte del ejercicio, tendrás una idea aproximada, o por lo menos instintiva, de cuál es el «peor» que despierta en ti el sentimiento negativo más poderoso, aunque también se puede dar el caso de que todos tengan el mismo peso. Imaginemos que se trata de sentirte avergonzado ante la posibilidad de una crítica. Piensa en experiencias pasadas e intenta recordar una situación de exposición pública en la que te sentiste así, con el mismo caudal de intensidad emocional que estás sintiendo ahora ante la perspectiva de sentirte de un modo similar. Por «exposición pública» entiendo cualquier incidente parecido a hablar ante un grupo o realizar una presentación a una audiencia, independientemente de cuán ligera o incluso remota que pueda parecerte la similitud de tal situación.

Sé sincero. No te engañes a ti mismo. Estás en la intimidad de tu casa. Cuanto más sincero seas, mejores serán los resultados de este ejercicio.

Mientras recuerdas el incidente o incidentes del pasado, anota las emociones derivadas de los mismos, así como cualquier sensación o sensaciones físicas que puedan acompañarlos e incrementar así tu incomodidad. Uno de mis clientes, por ejemplo, sentía, literalmente, dolor en el ojo al recordar y reexperimentar el sentimiento de humillación en una situación ya lejana en el tiempo, además de una cierta opresión torácica.

Todo esto sugiere la necesidad de descubrir la cuestión que subyace (transmisión de nivel 1, 2 o 3) debajo del miedo y a identificar la emoción negativa vinculada a esa cuestión que se ha interiorizado y alimentado en el transcurso de los años. Y hay que descubrirla e identificarla antes de intentar erradicar la emoción negativa asociada.

EJERCICIO 2: LIBERARSE

Si te encuentras en un profundo estado de ansiedad ante la idea de tener que hablar en público o realizar una presentación, deberás enfocar el problema desde una perspectiva emocional, física y espiritual, no sólo práctica, para conseguir una solución total y duradera.

Tu habilidad para operar el cambio en ti mismo y dejar una impresión positiva en una audiencia, cualquiera que sea su tamaño, requiere estar «plenamente presente», es decir, estar en el «aquí» y «ahora». Si te aferras consciente o inconscientemente a algo que sucedió en el pasado, no estarás plenamente presente. Estarlo es precisamente lo que te confiere la espontaneidad, libertad y tiempo de reacción imprescindibles para mostrarte sensible ante la audiencia con absoluta naturalidad.

Pero ¿qué hay que hacer para estar plenamente presente?

Una vez aislada la experiencia o experiencias pasadas e identificada la intensa emoción que desencadena la reacción de estrés creada por la ansiedad, deberás sacar esa emoción a la superficie, y ello de tal modo que puedas perturbar su equilibrio hasta que su poderosa atracción desaparezca. Una forma simple pero eficaz para conseguirlo y que he adaptado de un método que utiliza un amigo mío, especialista en rehabilitación emocional post-traumática, es la que se conoce como *journaling* (llevar un diario personal).

Mientras recuerdas aquel incidente o experiencia del pasado que sigue generando una reacción de estrés al pensar en ella, descríbela por escrito en un bloc u otro tipo de diario personal. No hay límite de páginas. Escribe hasta que tengas la sensación de haberlo expresado todo. Sé específico. Cuenta lo ocurrido con detalle, quién estaba allí, cómo te sentías en aquel momento y, lo más importante, cómo te sientes ahora en términos de ansiedad al recordar esta experiencia. Empieza el proceso evaluando la intensidad de tu nivel de ansiedad, asignando una puntuación en una escala del 1 al 10 (1 «escasa ansiedad» y 10 «mucha ansiedad»).

Durante el período de tiempo que precede a la presentación o entrevista, ya se trate de meses, semanas, días o incluso horas, cada vez que te asalte un pensamiento negativo que empiece a arraigar en tu mente y a controlar tus emociones, recurre a tu diario y escribe de nuevo. Confecciona un registro de los niveles de intensidad de la ansiedad en la misma escala del 1 al 10. Una vez más, sé sincero contigo mismo. Supongamos por ejemplo que al empezar el ejercicio asignas un «10» en el Ansiedad-Metro, pero que tras anotarlo una o dos veces, o quizá más a menudo, a medida que se aproxima el día de la presentación, llegas a la conclusión de que, a tu juicio, dicho nivel ha descendido hasta «7». Siguiendo este proceso, no tardarás en registrar niveles «5», «2» o incluso «0» si crees que los pensamientos negativos que otrora desencadenaban una reacción de estrés se han disipado.

Para mí, un ejercicio como éste, fácil de hacer y con el que se pueden conseguir resultados tan significativos, es casi un milagro. Pero lo cierto es que funciona. Basta un poco de paciencia;

nada más. Es como un programa eficaz de pérdida de peso con resultados que perduran comparado con una rápida dieta de «hambruna» con la que se pierden kilos en poco tiempo, el mismo que se tarda en recuperarlos. El progreso es acumulativo, progresivo, en ocasiones incluso imperceptible, pero antes de que te des cuenta, *voilà*!

Ni que decir tiene que podrías detenerte aquí, tras haber alcanzado un objetivo en sí considerablemente valioso: alivio y relax. Pero si lo que tu persigues es algo más que simple alivio, si lo que realmente deseas es ganar no sólo la batalla, sino también la guerra, sigue leyendo.

EJERCICIO 3: REENFOCAR

Ahora que has revelado e identificado la causa del problema sacándolo a la superficie, llega la hora de pasar al ataque, ya que el conocimiento sin acción no te conducirá allí donde quieres llegar.

Coge la hoja con la línea que la divide por la mitad, separándola en dos columnas, y escribe lo siguiente en la parte superior de la de la derecha:

«Lo que **quiero** que suceda.»

Echa una ojeada a la lista de «peores» en la columna opuesta y, entrada a entrada, reenfoca cada expectativa negativa de lo que temes que podría suceder o que estás convencido de que sucederá y transfórmala en un resultado positivo. Dicho de otro modo, lo que quieres que ocurra (véase figura 3).

Procura que los resultados positivos estén asociados al rendimiento. Por ejemplo, si uno de tus miedos estriba en ser criticado en una entrevista de trabajo, en lugar de reenfocar lo negativo en positivo con «Quiero el empleo», que en realidad no está abordando el *quid* de la cuestión, hazlo de la forma siguiente: «Quiero permanecer tranquilo y seguro de mí mismo para establecer una relación de empatía con el entrevistador».

Si otra de las situaciones que te provoca un estado de máxima ansiedad es la posibilidad de perder el puesto de trabajo, en lugar de responder «No quiero perder mi puesto de trabajo», di «Quiero mostrarme sereno y seguro de mí mismo». Y si lo que te preocupa es quedarte en blanco, en lugar de responder «No quiero quedarme en blanco», reenfoca lo negativo en positivo con un resultado deseado más en línea con el objetivo final, como en el caso de «Quiero afrontar los desafíos con sensatez y eficacia».

Figura 3

Lo **peor** que podría suceder es...	Lo que quiero que suceda
perder el control de la situación	Quiero mostrarme sereno y seguro de mí mismo
quedarme en blanco	Quiero afrontar los desafíos con sensatez y eficacia
que me critiquen**** avergonzado humillado	Estar tranquilo y confiado
parecer estúpido	No quiero cometer errores

Cuando hayas revisado la lista de lo «peor» que podría ocurrir y respondido a cada entrada con lo que «quiero» que ocurra en la columna de la derecha, tendrás una idea de cada nueva posibilidad que estás intentando crear.

Y ahora, un paso más: crear esa posibilidad reafirmando su resultado en tiempo presente.

Por ejemplo, si en respuesta a «perder el puesto de trabajo» en la columna de la izquierda has escrito «Quiero mostrarme sereno y seguro de mí mismo» en la de la derecha, reafirma esa posibilidad cambiando simplemente la frase: «ESTOY sereno y seguro de mí mismo al hablar delante de un grupo».

Reafirmando cada «quiero» de la lista en tiempo presente y escribiéndolo en la hoja de papel (véase figura 4), evitarás caer en la trampa de perpetuarte en un estado de constante ansia y, en consecuencia, centrarte en el futuro en lugar del presente. El resultado debes conseguirlo aquí y ahora.

Figura 4

Lo **peor** que podría suceder es...	Lo que quiero que suceda
perder el control de la situación	Quiero mostrarme sereno y seguro de mí mismo
quedarme en blanco	Quiero afrontar los desafíos con sensatez y eficacia
que me critiquen**** avergonzado humillado	Estar tranquilo y confiado
parecer estúpido	No quiero cometer errores
	Reafirmaciones...
	ESTOY sereno y seguro de mí mismo al hablar delante de un grupo o SOY un orador equilibrado y seguro de mí mismo

EJERCICIO 4: VISUALIZAR Y HACER REAL

De acuerdo, ya has identificado el bloqueo oculto, actuado en consecuencia para liberarlo y reenfocado para que refleje el resultado apetecido. Ahora habrá que transformar este deseo en realidad.

Desde mis años de actriz, una técnica habitual que he utilizado siempre para conseguirlo es la Visualización. Veamos cómo funciona mi versión:

- Busca un lugar tranquilo en tu casa, apartamento u oficina, desconecta el teléfono móvil, radio y/o televisor y siéntate en una silla cómoda. Es aconsejable mantener la espalda erguida, ya que si te reclinas mientras realizas este ejercicio corres el riesgo de adormilarte.
- Serena la mente y elimina todo cuanto pueda distraerte. La técnica siguiente me ha dado muy buenos resultados. Imagina que estás en lo alto de una larga escalera. Ahora desciende escalón a escalón, contando hacia atrás, y respirando según el siguiente patrón: supongamos que la escalera tiene quince peldaños; en el superior cuenta «quince» e inspira lentamente; luego exhala el aire también lentamente; en el escalón siguiente inspira y cuenta «catorce»; espira lentamente; en el siguiente inspira y cuenta «trece», y así sucesivamente hasta que hayas llegado al pie de tu escalera imaginaria. Si durante el ejercicio tu mente empieza a distraerse, lo cual suele ser relativamente habitual, no vuelvas atrás; relájate de nuevo. El objetivo no es forzar la atención en una secuencia de imágenes, sino concentrarte en ellas para poder acceder a una forma de concentración más profunda si cabe.
- Una vez al pie de la escalera imaginaria, visualiza la entrada en un paraje hermoso y relajante que evoque en tu men-

te un sentimiento de paz. Puede tratarse de un entorno que tenga un significado especial para ti, como por ejemplo una playa idílica desierta en tu playa favorita, un lago o un sendero de montaña en el que sueles hacer excursiones, o bien un lugar completamente inventado, como en el caso de una maravillosa vista panorámica de una playa o montaña con una mezcolanza de sonidos invadiendo el aire. El objetivo es crear un espacio de sosiego en el que adiestrar tu mente. Tras haberlo repetido varias veces al día o durante una semana, serás capaz de centrar tu atención y deslizarte hasta un estado de concentración más y más profundo.

- Ahora imagina tu nueva posibilidad con todo lujo de detalles. ¡Cómo me gusta esta parte del ejercicio! Supongamos que pronto vas a realizar una presentación ante el consejo de administración y que la nueva posibilidad que has creado y has traducido en términos de tiempo presente en el ejercicio 3 consiste en lo siguiente: «Ahora me siento seguro de mí mismo y pletórico de energía. La presentación será un éxito». Visualiza la presentación. Imagínate entrando en la sala de reuniones, saludando a los miembros del consejo y realizando la presentación tal y como tú quieres que sea. Asimismo, visualiza la reacción de tu auditorio tal y como deseas que sea (activa, entusiasta, con nutridos aplausos, etc.).

Otra alternativa consiste en recordar una situación pasada de exposición al público que resultó especialmente satisfactoria para ti y que te hizo sentir excitado, enaltecido, orgulloso, seguro de tus posibilidades, en la cima del mundo, etc. Por ejemplo, aquellas palabras que pronunciaste en la boda de tu hermano y que causaron sensación, o aquella presentación que realizaste en tercer grado que cautivó a la clase. Dicho de otro modo, visualiza el resultado que quieres conseguir. Cuanto más específico seas, más poderosa será la sugestión que reinará en tu mente y, en consecuencia, mayores serán las probabilidades de que todo salga tal y como lo habías planeado. Lógicamente, la visualización no es en modo alguno un sustitutivo del ensayo, sino un instrumento de apoyo destinado a insuflarte la energía y concentración que necesitas para determinar cuánto ensayo físico debes realizar a tenor de tu tipo de personalidad y perfil de nerviosismo. Es una de las técnicas más eficaces que conozco para alcanzar un estado mental relajado.

¡Cuidado con lo que deseas! ¡Sé específico!

Veamos lo que puede suceder si no eres lo bastante específico en la definición de tus objetivos. En una ocasión participé en una lectura en escena para un nuevo musical en el que tenía un pequeño papel cómico: una camarera francesa. La audiencia estaba compuesta por innumerables personajes del mundo del espectáculo. Estaba excitada y nerviosa al mismo tiempo. Familiarizada con la técnica de la visualización, decidí verificar su eficacia en una situación de interpretación teatral.

Me imaginé entrando en el teatro y saludando como de costumbre a los prohombres del casting con los que tanto deseaba trabajar. Subía al escenario al llegar mi turno y leía el texto. Incluso imaginé al auditorio riendo ante mi espléndida representación. Llegó la noche. Casi todo se estaba desarrollando tal y como lo había imaginado, hasta el momento de ocupar mi lugar en escena, apoyada en el atril, y leer el texto.

Al hacerlo, me apoyé en él con demasiada fuerza y se cayó, obligándome a arrodillarme para seguir leyendo. Todos rieron. Una sonora carcajada. Desafortunadamente, no era mi actuación el origen de semejante risotada general, tal y como lo había visualizado; ¡el atril también había entrado en acción!

Si la audiencia pensó que todo aquello era intencionado o no, es algo que desconozco, aunque algo me decía en mi interior que no, de manera que la vergüenza que había pasado me llevó a perfeccionar la visualización de «todos» los aspectos a tener en cuenta en una representación en público, incluyendo los sucesos inesperados que pueden ocurrir. De este modo, conseguiría que se rieran «conmigo», no de «mí». Cuanto más específico eres en imaginar los detalles de tu nueva posibilidad, más capaz eres de identificar los deslices potenciales y resolverlos con antelación.

¡Felicidades!

Has completado la primera y, en algunos casos, más importante y más difícil parte de tu viaje para convertirte en un comunicador natural y seguro de ti mismo: identificar el obstáculo u obstáculos que se cruzan en tu camino.

En relación con los obstáculos superficiales, tales como mitos o «controles de carretera» asociados a las habilidades, los has sacado a la luz y tienes una idea clara de lo que debes hacer para enfrentarte a ellos.

Y respecto a los obstáculos ocultos, más difíciles de desarraigar, dispones de los instrumentos necesarios que te ayudarán a identificarlos y liberarte de ellos.

Ya estás preparado para seguir adelante y desarrollar una forma de trabajo con la que diseñarás y presentarás un poderoso mensaje.

¡La aventura continúa!

SEGUNDA PARTE

Desarrolla tu propia forma de trabajo

Capítulo 6

Reinventa tu mensaje

Receta para el éxito

Voy a compartir una historia contigo.

Era la suplente en un espectáculo de Broadway que había que presentar en el Joseph Papp's Shakespeare Festival llamado *I'm Getting My Act Together and Taking It on the Road*. Al igual que muchos esperanzados del teatro, necesitaba un trabajo complementario para ganarme la vida, que en aquel momento era el de camarera en un restaurante en el distrito Chelsea de Manhattan, donde trabajaba de día.

No era infrecuente para mí terminar bastante tarde por la noche, de manera que tenía que apresurarme para cambiarme, asearme y prepararme para el circuito de audiciones. Echando la vista atrás, no tengo la menor idea de cómo era capaz —y por supuesto no era la única— de hacerlo; el descanso nocturno es esencial, aunque en mi caso sólo disfrutaba del mismo en más que contadísimas ocasiones. En cualquier caso, la pasión, el entusiasmo y la disciplina hacen el resto.

Una noche llegué a mi apartamento alrededor de las dos de la madrugada, completamente exhausta después de la jornada laboral en el restaurante. Como de costumbre, antes de dejarme caer en la cama, esparcí las propinas que me habían dado aquella tarde para comprobar si, sumándolas a mi salario, estaba acumulando el dinero suficiente para pagar las facturas del mes, que incluían no sólo los gastos habituales de alojamiento, suministros y alimentación, sino también el coste de las clases de interpretación, dicción y canto.

Al terminar el recuento, advertí una nota que mi compañera de habitación había dejado en mi almohada. Decía que habían llamado de la oficina de Joseph Papp's rogándome que me presentara a una audición al día siguiente para el programa de representaciones en provincias de la compañía. ¡No podía creerlo! Quería y necesitaba un trabajo duradero más que nada en el mundo, ¡y allí estaba mi oportunidad! Prácticamente me puse a bailar por el techo ; tal era la felicidad que sentía ante tan increíble golpe de suerte. Pero luego me asaltó una idea: estaba demasiado excitada; no iba a poder conciliar el sueño aquella noche.

No sé cómo me las arreglé, pero conseguí echar un par de cabezaditas, aunque al levantarme por la mañana me sentía muchísimo menos despejada como para afrontar un día tan importante. Fue entonces cuando entró en acción mi «sistema».

Empecé con unos cuantos ejercicios de precalentamiento, seguidos de otros tantos estiramientos. Luego me dispuse a dar buena cuenta de mi material para audiciones, usando técnicas de vocalización que no sometieran mis cuerdas vocales a una excesiva tensión antes del evento. Por último, visualicé una extraordinaria experiencia en la audición, dando cuanto tenía dentro de mí. Aquello era lo que mi profesor de interpretación me repetía una y mil veces: si me concentraba única y exclusivamente en hacerlo bien, se disiparían mis preocupaciones acerca del resultado de la audición, lo cual por cierto escapaba completamente a mi control.

Recuerdo que ocupaba mi lugar en el escenario y cantaba mi pieza. Habitualmente, en las audiciones siempre se produce un largo silencio al finalizar una actuación. Pero esta vez, el agente de casting y uno de los guionistas del espectáculo se aproximaron a mí y me preguntaron si sería capaz de aprenderme rápidamente una canción para el show con acompañamiento en escena; un terreno arriesgado, pero no imposible.

Hice lo que me habían pedido y lo di todo de mí. Al marcharme aquel día, sabía que me había hecho merecedora de la suplencia en diferentes papeles, incluyendo el de protagonista. También sabía algo más, algo incluso más significativo: independientemente de cuán poco durmiera, lo cansada que estuviera o el reto inesperado que se cruzara en mi camino, tenía un sistema sólido e infalible.

El mismo principio se puede aplicar a hablar en público. Si dispones de un sistema que te permite revisar una y otra vez cualquier circunstancia, en especial la más difícil, es muy probable que aun así sigas experimentando aquella clásica sensación de mariposas en el estómago, pero siempre tendrás una fórmula eficaz para superar el trance.

No hace mucho tiempo trabajé con un cliente que había accedido a la dirección de ventas de una gran compañía farmacéutica, y habida cuenta de que aún no había realizado ninguna presentación en su nuevo cargo, me pidió que le ayudara a prepararla. Faltaba poco para el gran día.

En nuestra entrevista inicial me hizo una demostración del discurso en el ordenador portátil. Constaba de sesenta diapositivas, muchas de ellas tablas y gráficas repletas de datos minúsculos y prácticamente ilegibles. Durante la demostración se limitaba a leer el texto de cada diapositiva, hablando muy pero que muy deprisa con el fin de poder comprimir todo el acerbo de información que había recopilado en los veinte minutos que le habían asignado. Era incapaz incluso de hacer una breve pausa para retomar el aliento o mirar a la audiencia.

Al concluir, me pidió mi opinión. «¿Cree que sería aconsejable solicitar diez minutos más de tiempo?»

Le dije que disponer de más tiempo era lo de menos. «Lo que

verdaderamente importa —proseguí— es que no tengo ni idea acerca del contenido del mensaje, a quién va dirigido y por qué está haciendo una presentación a esta audiencia en particular y en este preciso instante.»

Le expliqué que el problema era que carecía de estrategia alguna para desarrollar un mensaje que reflejara no sólo sus intereses y los de la compañía, sino también los de audiencia. Asimismo, lo había emborronado con una avalancha de información. También le comenté que una presentación no consiste en una secuencia de diapositivas, sino simplemente un «espectáculo» audiovisual. Una vez desarrollado un mensaje claro basado en una estrategia bien diseñada llegaría el momento de insertar unas cuantas diapositivas, veinte como máximo, para respaldarlo y conferirle una mayor fuerza.

Mucha gente con la que trabajo suele hacer lo mismo ante la perspectiva de dar una conferencia, realizar una presentación o preparar una entrevista. Carentes de los recursos mínimamente indispensables, vierten centenares de ideas en un gran caldero y luego remueven. El resultado es evidente: primero confusión y acto seguido ansiedad.

Tras haber aprendido en la primera parte de este libro a identificar y superar los obstáculos que han estado impidiendo tu progresión, es ahora el momento de examinar los elementos fundamentales implicados en el desarrollo de una comunicación satisfactoria.

Cuatro ingredientes indispensables

Un discurso, presentación o entrevista eficaz equivale a servir un plato delicioso bajo en grasas nutritivo y fácil de digerir. Sus ingredientes están bien equilibrados, es bajo en calorías y rico en fibra (sustancia), y se presenta en porciones razonables, adere-

zadas con unas cuantas sorpresas que dejan satisfecho al co-
mensal, deseoso de regresar de nuevo a aquel restaurante.

Los comunicadores más persuasivos y eficaces utilizan cuatro ingredientes esenciales para transmitir sus mensajes:

- *Definir el objetivo.* Especificar el resultado deseado o la acción que se quiere emprender como una consecuencia de lo
  que se está comunicando.
- *Conocer el CBA.* Comprender las necesidades y preocupaciones del individuo o grupo con el que se está comunicando mediante el desarrollo de una Comunicación Basada en
  la Audiencia.
- *Limitar el mensaje.* Procurar que sea sencillo y fácil de comprender, evitando los mensajes extremadamente largos.
  ¿Se ajusta a las necesidades y preocupaciones de los oyentes o les está exigiendo un esfuerzo excesivo?
- *Crear una estructura.* Establecer un principio, un desarrollo
  y un final claros y precisos, equilibrándolo con información de datos y respaldo de anécdotas.

Estos cuatro ingredientes, cuando se combinan y se cuecen
como es debido, hacen que la audiencia saboree el mensaje. Todos
son igualmente importante. No hay que olvidar ninguno. Para los
Evitadores e Improvisadores, en especial, al principio aprender a
aplicarlos puede parecer una tarea ingente, pero si consiguen so-
portar el calor y permanecer en la cocina, pronto serán capaces de
pensar estratégicamente y confeccionar una receta para recanalizar la energía nerviosa y transformarla en un enfoque práctico en
el que podrán confiar siempre que sea necesario.

Examinemos más detenidamente cada uno de estos cuatro ingredientes.

1. Definir el objetivo

Los comunicadores experimentados saben cuándo tienen que servir a su audiencia unos entremeses, un menú de tres platos o un asado y un postre. Así pues, debes empezar por ti mismo, definiendo exactamente qué quieres que sienta la audiencia, las ideas básicas que deseas que recuerden al marcharse o lo que te gustaría que hicieran como respuesta a tu comunicación. En otras palabras, empieza formulándote la pregunta siguiente: «¿Por qué estoy aquí?».

No me cansaré de reiterar la importancia de este primer ingrediente. Si se ignora, la inmensa mayoría de las presentaciones públicas fracasan. Independientemente de si el comunicador es avezado o novel, es aquí precisamente donde el discurso se puede torcer. Un viejo proverbio del Yogi Berra dice: «Si no sabes adónde te diriges, acabarás en cualquier parte». Y es verdad. Pues bien, ¡la audiencia también!

No haber definido un objetivo conduce a un segundo error, a saber, elegir un objetivo

a) excesivamente amplio, intentando abarcar demasiado a la vez;

b) no relacionado con la tarea que se tiene entre manos, concentrándose en una meta irrelevante para la comunicación;

c) demasiado confuso, inespecífico, que genera en la audiencia o entrevistador la sensación de estar perdiendo miserablemente el tiempo.

Cada uno de estos errores puede desviar tu mensaje y echar por la borda la oportunidad de comunicarlo correctamente.

Excesivamente amplio

Steven era el presidente y jefe ejecutivo de una compañía de comunicación líder en el diseño de páginas Web y el desarrollo de estrategias de marketing para grandes empresas en los primeros años de la explosión de Internet. Su compañía había cosechado tantos éxitos que IBM estableció una alianza con ella como socio de negocios. Como resultado de dicha alianza, ahora Steven tendría que dirigirse a un más que nutrido número de clientes potenciales.

Vino a verme en un patente estado de pánico. Era un «lagarto de la informática» y un artista gráfico, me dijo, no un orador. Incluso en calidad de presidente de su propia compañía nunca había tenido que hablar a grandes grupos, y estaba aterrorizado, muy aterrorizado a decir verdad, de temblar sólo con pensarlo.

«De acuerdo —le dije—, relájese un poco y empecemos por el principio.» Tras haberse serenado, le pregunté cuál era su objetivo y qué quería conseguir con la primera de las sucesivas presentaciones que debería realizar.

Sin pestañear, respondió: «¡Mi objetivo es ganar ingentes cantidades de negocio y dejar boquiabiertos a esos prepotentes de IBM!».

No era de extrañar que estuviera tan nervioso. Se había sometido a sí mismo a unas elevadísimas expectativas y, en consecuencia, a una tremenda presión para satisfacerlas. Era evidente que desde aquella perspectiva era imposible comunicar un mensaje eficaz. Su foco de atención era erróneo.

Le pregunté cuántas personas asistirían al evento en cuestión. Dijo que setenta y cinco. Luego le pregunté cuánto negocio nuevo podía esperar ganar, desde un punto de vista realista, con una sola presentación de este tipo. «Oh, tal vez cinco nuevas cuentas», replicó ahora ya sí con los pies en el suelo.

«Está bien —dije—. Ahora cuénteme qué quiere que hagan las setenta personas restantes.»

Pensó durante unos instantes y luego contestó: «Que se sientan motivados por nuestro negocio y tengan en cuenta para el futuro en qué medida se benefician de nuestros servicios las compañías que trabajan con nosotros».

«¡Ajajá! —exclamé—. Vamos por el buen camino. Si se centra en ese objetivo podría conseguir aquellas cinco cuentas nuevas, tal vez más, y dejar boquiabiertos a esos prepotentes de IBM.»

Así lo hizo. Lo cierto es que no habría sido capaz de transmitir un mensaje ganador de no haber prestado la máxima atención a las expectativas de su audiencia y especificado con claridad lo que realmente deseaba conseguir.

Relacionado con la tarea que se tiene entre manos

Una de mis clientes se estaba preparando para presentar un informe sobre la marcha del departamento a la alta dirección de su compañía. Se sentía muy tensa y acudió a mí para que le ayudara a tranquilizarse.

Tras observar el informe, un amasijo de detalles relacionados con los distintos proyectos en los que estaban trabajando, alcé la mano y dije: «¡Alto!». Luego le pregunté qué era lo que intentaba conseguir con el informe.

«Quiero que aprecien el valor de mi trabajo, que hasta la fecha ha pasado excesivamente desapercibido —explicó—, y conseguir el ascenso que merezco pero que se me escapó la última vez.» El resentimiento que sentía era evidente en su voz.

Fui muy sincera con ella. «Querer un ascenso no es un objetivo —le dije—. Es un deseo. No tiene nada que ver con el mensaje que estás transmitiendo o por qué la audiencia debería escucharte con atención. Pensarlo así no hace sino aumentar tu estado de ansiedad.» Al final, se dio cuenta de que lo que realmente pretendía era ofrecer a la dirección general una visión clara de lo que estaba haciendo su departamento para contribuir a la buena marcha de la compañía, además de algunas recomendaciones basadas en la investigación acerca de qué podrían hacer para ayudar a la dirección a establecer estrategias incluso más satisfactorias en el futuro. Pues bien, consiguió transmitir un mensaje congruente con ese objetivo y sus esfuerzos se vieron recompensados.

DEMASIADO CONFUSO

En una ocasión asistí a una conferencia que daba una mujer acerca de su reciente viaje a una región exótica del mundo. La mayoría de sus comentarios relacionados con el viaje se resumían en «interesante» y cuán «amables y hospitalarios» eran los nativos. Aunque no dudo que fuera cierto, tales observaciones eran tan generales y su presentación tan vaga que no conseguí captar con claridad la opinión que le merecía ni el verdadero motivo por el cual estaba dando aquella conferencia. ¿Qué pretendía en realidad? No lo sé. ¿Se escondía algún aspecto especialmente educativo que justificara la visita a aquella remota parte del planeta? De ser así, ¿cuál era? ¿Por qué estaba allí de pie, en el podio, en aquel salón de actos, compartiendo sus experiencias con nosotros? En otras palabras, ¿por qué creía que estaríamos interesados en la información que nos estaba facilitando?

Si hubiera respondido a todas estas preguntas antes de hacer su aparición en público, la conferencia habría resultado mucho más estimulante, una experiencia más jugosa para ella y para nosotros. Pero al no haberlo hecho, extravió a la audiencia en un mar de confusiones y perdió una excelente oportunidad de transmitir un mensaje significativo.

Objetivo general y objetivo específico

Hablemos un poco de terminología.

Si te pidiera que definieras el objetivo de un partido de fútbol, ¿cómo responderías? ¿Ganar el partido? Seguro que sí. Éste es el objetivo general. Pero el objetivo más inmediato, o específico, consiste en marcar un gol, y otro y otro más, ya que ésta es la única forma de alcanzar el objetivo general de ganar el partido.

Supongamos que tu meta es jubilarte holgadamente. No obstante, para alcanzar este objetivo general tienes que conseguir otro más inmediato, a corto plazo, como por ejemplo ahorrar 500 dólares al mes y destinarlos a un fondo de pensiones o plan de jubilación. Si no empiezas así, nunca alcanzarás el objetivo general, a menos tal vez ¡que te toque la lotería!

El arte, o ciencia si lo prefieres, de comunicarse satisfactoriamente en un foro público funciona igual. Si te estuvieras preparando para una entrevista de trabajo, ¿cómo definirías el objetivo que quieres conseguir? ¿Obtener el puesto de trabajo? Una vez más, éste puede ser el objetivo general, pero no es lo bastante específico para ayudarte a diseñar una presentación eficaz que te permita alcanzarlo.

Permíteme que ilustre lo que quiero decir cuando distingo entre objetivos generales y específicos. En una ocasión trabajé en un periódico que intentaba introducirse en un nuevo mercado en el que la competencia publicitaria, extremadamente dura, estaba dominada por las revistas comerciales. Un día los representantes de ventas se dirigieron a una compañía para conseguir que contratara «aquí y ahora» su primer anuncio, pues así se había definido el objetivo del rotativo. Sin embargo, el periódico carecía de historial, de manera que el cliente potencial no lo consideró como un medio adecuado para comercializar sus productos. La oportunidad de negocio se había ido a pique.

Evidentemente, los representantes de ventas deben ser capaces de transformar esa percepción negativa del cliente en una oportunidad positiva, y esto implica definir un objetivo más inmediato. Tras aquella experiencia, perfilaron mejor su objetivo, pasando de «captar clientes que contrataran anuncios aquí y ahora» a «captar clientes que nos consideren un medio apto para sus intereses comerciales». Los contratos no tardaron en llegar.

La clave reside en la especificidad. Cuanto más específico eres, mayores son las probabilidades de éxito y más fácil será elegir el tipo y la cantidad correctos de material de apoyo para que la audiencia comprenda y actúe a partir de un mensaje.

DIFERENTES ETAPAS, DIFERENTES OBJETIVOS

Al definir el objetivo específico y el objetivo general, es decir al preguntarte «¿Qué quiero que sepa o haga mi audiencia?», debes tener en cuenta en qué etapa del proceso te hallas, ya que el objetivo específico cambiará según sea la respuesta.

Imaginemos que diriges el equipo de ventas de una empresa que con el tiempo ha acumulado problemas de facturación. Para invertir el estado de cosas tienes que implantar algunos cambios estratégicos que requieren la aprobación de la alta dirección. Se han programado varias reuniones en el transcurso de los dos próximos días para exponer el caso, primero a los directivos de ventas, luego a los de otros departamentos y finalmente al presidente y jefe ejecutivo.

Como es natural, tu objetivo general es convencer a la dirección de la necesidad de invertir el dinero y el apoyo indispensables para implantar las nuevas ideas comerciales en toda la compañía. Pero si acudes a la primera reunión con «dame dinero para introducir los cambios» como objetivo específico, lo más probable es que salgas con las manos vacías. Es demasiado, demasiado pronto.

REFLEXIONA

Obligarte a pensar estratégicamente es una de las mejores cosas que puedes hacer para disipar, en parte, la ansiedad ambiental a la que tal vez te estés enfrentando en estas primeras etapas de preparación. Desplazando la atención fuera de tus preocupaciones personales y dirigiéndola a la tarea inmediata que tienes entre manos (p. ej., definir tu objetivo, comprender a la audiencia, etc.), desvías el foco de estrés que estás experimentando. Dicho de otro modo, si piensas en lo que realmente quieres conseguir y diseñas una estrategia adecuada para llegar hasta allí en lugar de centrarte en tu ansiedad, estás recanalizando la energía negativa en un curso positivo.

Si quieres llegar a alguna parte, el objetivo específico en la primera reunión debería ser «Informar a la alta dirección del departamento de ventas de los problemas que están afectando a la compañía». Dicho de otro modo, primero conseguir que este grupo comprenda lo que dices que está sucediendo y hacer un especial hincapié en la necesidad de operar un cambio.

La siguiente reunión es con la dirección de los demás departamentos de la firma. Aquí, tu objetivo específico será más angosto, pues has entrado en una etapa diferente del proceso. Por ejemplo, «Conseguir el consenso para la implantación de un nuevo programa de ventas».

Por último, en la reunión con el presidente y el jefe ejecutivo, y entrar en la última etapa del proceso de transmisión del mensaje, tu objetivo específico se debería estrechar aún más si cabe, aproximándose incluso más al objetivo general: «Conseguir una asignación presupuestaria para la iniciativa comercial en toda la compañía».

Veamos otro ejemplo, esta vez utilizando una situación de entrevista de trabajo.

Supongamos igual que antes que se han programado diferentes reuniones con el encargado de contratación de personal. La primera es con Recursos Humanos y el jefe del departamento al que desearías incorporarte. La segunda con otros jefes de departamento de la empresa y la última con el jefe ejecutivo.

Tu objetivo general es conseguir el puesto de trabajo, pero el específico podría cambiar a medida que avanzas en el proceso:

Reunión 1: «Determinar si la organización y yo encajamos bien».

Reunión 2: «Ampliar el conocimiento personal que les convenza de que soy el candidato ideal para el puesto».

Reunión 3: «Comprometerles a que me hagan una oferta».

Ni que decir tiene que puedes tener suerte y alcanzar todos tus objetivos en una sola reunión, consiguiendo el empleo de inmediato, aunque eso raramente suele suceder si no has definido tus objetivos en la secuencia que he descrito anteriormente para que tus expectativas sean realistas. Las no realistas producen ansiedad, y la ansiedad reduce las oportunidades de alcanzar los objetivos.

La definición correcta del objetivo específico te permitirá tomar decisiones acertadas acerca de qué y cuánto debes incluir o excluir en tu presentación en cada situación de exposición pública. El objetivo específico es lo que hace que los oyentes avancen paso a paso, aproximándose cada vez más, en cada etapa del proceso de comunicación, a la toma de decisiones de acción.

No lo olvides

Cuando te preguntas qué quieres que sepan o hagan tus oyentes como resultado de tu presentación, discurso o entrevista, básicamente estás determinando en qué dirección deseas orientarlos (de «no saber» a «saber»; de «no hacer» a «actuar»). Este concepto de determinación de cuánto y cuándo orientar al destinatario de un mensaje lo utilizan a diario los anunciantes y expertos en marketing en la prensa escrita, la televisión y la radio, ya se trate de un salto gigantesco (tal vez empezando a recibir pedidos de los productos y servicios «aquí y ahora») o gradualmente (en esta etapa lo que pretendes es que la audiencia empiece a pensar en tu compañía, sus productos y servicios desde una perspectiva diferente. Es la «cantidad» o «tamaño» del salto que estás solicitando al público en cada etapa de la comunicación lo que indica si tu objetivo debería cambiar, redefinirse mejor o esclarecerse.

USO DE VERBOS DE ACCIÓN

Al definir el objetivo específico en cada etapa, usa verbos de acción para describir lo que estás intentando hacer. Añaden fuerza al mensaje.

Incluso una reunión o presentación que, por su propia naturaleza, es más informativa que dirigida a persuadir a los oyentes de la necesidad de actuar se puede beneficiar del uso de verbos orientados a la acción en la definición de los objetivos específicos en cada fase. Supongamos que te han convocado a una reunión para informar a la dirección general de la compañía de la marcha del departamento y que piensas «Bueno, sólo tengo que facilitar información». Con todo, la información te la han solicitado, y deberás facilitarla con una finalidad. En consecuencia, cuando hayas concluido la presentación desearás que tu audiencia haga algo, aunque sólo sea comprender que las cosas en el departamento van sobre ruedas.

Establece con exactitud lo que quieres conseguir en cada etapa del camino. Por ejemplo, en lugar de definir el objetivo específico de tu discurso a los miembros directivos de una escuela local como un deseo de que «consideren la posibilidad de aumentar el presupuesto escolar», hazlo para que se «comprometan a aumentar el presupuesto escolar».

En el caso de entrevistas, diseña objetivos que te ayuden a demostrar activamente tus capacidades. En lugar de definir el objetivo específico con un jefe de personal como «demostrar hasta qué punto me interesa el trabajo», opta por una declaración más apropiada y orientada a la acción, como por ejemplo «Al término de la entrevista el jefe de personal "comprenderá" lo bien que se ajusta mi perfil profesional a las necesidades de la organización».

En cada supuesto, el uso de un verbo de acción en la declaración del objetivo lo refuerza y esclarece, describiendo la reacción que realmente deseas operar a partir del mensaje.

Procura utilizar verbos de acción como los siguientes para especificar el objetivo u objetivos en tu próximo discurso, presentación o entrevista; potenciarán tu mensaje:

- conocer
- implantar
- incrementar
- conocer el valor de
- cambiar la opinión de
- crear un nuevo
- adaptar
- ampliar

REFLEXIONA

Todos sabemos que, en el mejor de todos los mundos posibles, nada interfiere en nuestros planes y objetivos. Pero por desgracia éste no es el mejor de los mundos posibles. Los imprevistos son habituales (p. ej., la fecha de una presentación a inversores potenciales se adelanta inesperadamente en una semana, la audiencia se reduce en un tercio, etc.). Debes ser lo bastante flexible para hacer reajustes sobre la marcha. Dado que ahora eres capaz de pensar estratégicamente, te resultará mucho más fácil superar estas situaciones.

2. Conocer el CBA

Al igual que un *chef* de protocolo sabe perfectamente si debe servir a los asistentes a una cena de gala un plato exótico a base de yak tibetano o un simple bistec con patatas, los comunicadores tienen que conocer a su audiencia para poder transmitir un mensaje eficaz. Esto requiere comprender las necesidades y preocupaciones de los oyentes, una comprensión que sólo se adquiere invirtiendo algún tiempo en analizarla, y utilizar la información recopilada para confeccionar a medida el mensaje con el fin de que exprese los valores e intereses de la audiencia y proporcionándoles una razón para que estén dispuestos a escuchar.

A este ingrediente lo he denominado comunicación basada en la audiencia (CBA) y es uno de los más importantes, aunque a menudo ignorados, en mi receta para captar la atención del auditorio.

Los comunicadores eficaces lo usan a diario en sus presentaciones para que sus mensajes dejen huella.

CONOCER EL CBA GENERA CONFIANZA

REFLEXIONA

En palabras del fundador de la National Speakers Association, «A la gente no le importa cuánto sabes hasta que sabe cuánto importas».

En una ocasión, uno de mis mentores, el difunto Bill Gove, de la National Speakers Association, me dijo: «Ivy, la gente se pone nerviosa al hablar en público porque son "autoconscientes" en lugar de "prójimo-consciente"». La distinción era muy importante. Centrando toda o casi toda la atención en ti mismo («¿Voy a tartamudear?» «¿Se darán cuenta de lo que he engordado?» «¿Perderé mi empleo?» «¿Les gustaré?»), lo único que consigues es incrementar el desasosiego, mientras que centrarse en la audiencia alivia la tensión nerviosa.

Éste es el principal impulsor de la confianza o seguridad en uno mismo. Al canalizar la atención fuera de ti, de lo que quieres y de lo que sientes, y desplazarla a la audiencia, disipas toda esa energía nerviosa que estás acumulando y la rediriges más positivamente, ofreciendo el máximo valor potencial a quienes te están escuchando.

Ni que decir tiene que es perfectamente natural querer gustar o causar una buena impresión a la audiencia, los oyentes o el entrevistador. Los oradores que poseen la cualidad innata de la «gustabilidad» pueden obtener un considerabilísimo apoyo de sus ideas, ya que la gente suele desviarse de su camino para ayudar a quien le gusta. Es un instinto natural. Sin embargo, el factor «gustabilidad» (también podríamos denominarlo «atracción») puede quedar reducido a nada si no está respaldado por otras cualidades. Es muy importante, en realidad esencial, que confíen y crean en ti. Y la confianza es consecuencia de un sentimiento, que tú comunicas, de que estás hablando a sus preocupaciones, que te has tomado tu tiempo para comprender lo que es importante para ellos y demuestras activamente que lo que tienes que decir es significativo y relevante en la situación en la que se hallan.

No hace demasiado, conocí a un orador que no era especialmente «gustable», en el sentido de que no había sido bendecido con la cualidad del magnetismo personal que poseen algunos oradores. Es bastante alto, no particularmente atractivo y con una voz rasposa. Pero... cuando se pone en pie y habla, lo hace con tal firmeza y tan directamente a las preocupaciones de su audiencia que exuda autoconfianza, y no sólo es eficaz, sino también cautivador, seductor y persuasivo en grado sumo. Es capaz de trascender su falta de carisma, pues conoce su CBA. Para conseguirlo, utiliza el ingrediente mágico del que ya te he hablado: la comunicación basada en la audiencia.

CONOCER A LA AUDIENCIA

El filósofo Robert Zend ha dicho muy acertadamente: «Las personas tienen una cosa en común, son diferentes». Lo mismo se aplica a las audiencias.

Philip, por ejemplo, vicepresidente de una destacada firma financiera, vino a verme buscando algunos trucos para que sus presentaciones de negocios resultaran más persuasivas. El mercado de la compañía era global, y la competencia feroz, de manera que se veía en el trance de tener que hablar constantemente en todo el mundo.

Me dijo que su problema no era que pronunciar discursos y hacer presentaciones a grandes grupos de personas le pusiera especialmente nervioso, sino que dado que la competencia era tan extrema, deseaba ser capaz de captar la profunda atención de la audiencia y que cayera rendida a sus pies tal y como suelen hacerlo los mejores oradores. «Quiero que aplaudan al final, pero que lo hagan a rabiar —dijo—. ¿Cómo puedo conseguirlo?»

Evidentemente, antes de aconsejarle tenía que analizar su proceso actual de captar la atención del público; le pedí que hiciera una demostración de uno de sus discursos. Fue algo así:

«Buenos días. Me llamo Philip. Soy vicepresidente de Ace Financial. En el transcurso de la media hora siguiente les contaré todo acerca de Ace Financial y del importante impacto que ha tenido en la industria financiera global. Transcurrida la media hora, creo que estaremos de acuerdo en que somos el líder en los mercados financieros.», y bla, bla, bla.

Al finalizar la demostración, enseguida se dio cuenta, por la expresión de mi rostro, de que quedaba mucho por hacer. Y te diré por qué.

¡Atención! ¡Test de agudeza visual! Cuenta cuántas veces usó Philip la segunda persona del plural en esta breve muestra de uno de sus típicos discursos a un grupo de líderes empresariales y clientes potenciales. ¡Ninguna!

Ahora cuenta el número de veces que utiliza la primera persona del singular o del plural. ¡Cinco!

Es un clásico «no-no». Casi se puede oír a la audiencia respondiendo a tanto «yo» y «nosotros» con un sonoro «¿Y a quién le importa?» «¿Qué tiene que ver eso conmigo?».

Philip estaba cometiendo un error fundamental en la forma de enmarcar la información y el mensaje que deseaba transmitir a sus oyentes. Lo presentaba todo desde su propio punto de vista en lugar de hacerlo desde el de la audiencia. Enmarcándolo todo de este modo, no conseguía demostrar el valor de escuchar lo que tenía que decir y de invertir tiempo escuchándolo.

Le sugerí que reflexionara un poco y se formulara (y respondiera) a las preguntas siguientes en relación con su audiencia-objetivo en este discurso:

- ¿Quiénes eran sus oyentes?
- ¿Por qué habían acudido a este evento?
- ¿Cuáles eran sus intereses?
- ¿A qué retos se estaban enfrentando?
- ¿Qué cargo ocupaban en sus respectivas organizaciones?
- ¿Necesitaban aprender algo para hacer mejor las cosas o de un modo diferente?
- ¿Estaba en disposición de ofrecerles algo que pudieran considerar nueva información?
- ¿De dónde eran?
- ¿Cuál era la proporción hombres/mujeres?
- ¿Era un grupo conservador?
- ¿Eran jóvenes, de mediana edad o de edad avanzada?
- ¿Tenía algo en común con ellos?
- ¿Qué sabían de él?
- ¿Qué sabían del tema de la presentación?

No tardó en empezar a comprender a lo que me estaba refiriendo. Ahora se daba cuenta de que nunca antes se había planteado aquellas cuestiones, y de que al no hacerlo, estaba reduciendo el impacto que podía causar en la audiencia.

Philip siguió mis consejos y rediseñó el discurso. Al regresar para hacer una segunda demostración, advertí desde el primer momento que había introducido importantes cambios en su forma de pensar. Veamos cuál fue el resultado:

«Buenos días. Me llamo Philip. Antes de venir aquí he tenido la oportunidad de hablar con algunos de ustedes —Steve, Cindy, Todd— y comprendo cuánto les preocupa crecer en beneficios en una atmósfera empresarial dura, competitiva e incierta. Todd me dijo que la logística ha adquirido un tal grado de complejidad a nivel mundial, que resulta prácticamente imposible alcanzar los objetivos. Durante la próxima media hora compartiré con ustedes algunos de los desafíos a los que nos hemos enfrentado recientemente en Ace Financial, y también algunas de las estrategias que hemos implantado para superarlos y que asimismo podrían dar buenos resultados en sus respectivos cometidos. Espero que regresen a sus compañías con esta información y que la utilicen para crear una ventaja competitiva en sus mercados.»

En estos comentarios iniciales y a lo largo del discurso que siguió, Philip tenía siempre in mente a la audiencia, proporcionándole constantemente una razón para seguir escuchándolo al demostrar el valor de un mensaje estrechamente relacionado con las preocupaciones de cada cual. Estaba en el buen camino para convertirse en un orador eficaz.

REFLEXIONA

Es indiscutible. Abundan los oradores aburridos, pero en mi trabajo he descubierto que quien más quien menos desea que la audiencia se rinda a sus pies, sobre todo entre los hombres de negocios de todos los niveles directivos. Muy a menudo, esta preocupación está justificada. La clave es hablar «con» los oyentes, no «a» ellos. Si no se consigue transmitir el mensaje desde la perspectiva de la audiencia, no lo absorberá, y casi con toda seguridad, nunca actuará a partir de la información que estás presentando, y ello por una razón muy simple: es muy probable que ni tan siquiera la hayan escuchado. En tal caso, es muy posible que algunos asistentes se queden dormidos.

INVESTIGACIÓN

Si te tomas tu tiempo para conocer a quienes te escuchan, conseguirás comprensión, consenso y confianza, y entrarás en una relación interpersonal en la que ambas partes ganan. Hay muchas formas de investigar y reunir la información que necesitas para conocer a la audiencia. Imaginemos que estás hablando delante de un determinado grupo por primera vez (consejo de administración, jefe de personal, Rotary Club, etc.). Veamos algunas ideas que pueden resultar útiles en la apertura de la presentación.

- Prepara con antelación una lista de preguntas y habla con la persona que está planificando el evento o reunión, o con su ayudante en caso de que aquél no esté disponible.
- Solicita el nombre de los asistentes y llámalos, si es posible, con una cierta antelación para recabar información acerca de lo que es importante para ellos y los retos a los que se están enfrentando.
- Usa Internet para investigar la compañía o institución.
- Consulta artículos de revistas y recortes de periódicos en los archivos de prensa y otras bases de datos on-line relacionados con la compañía o institución.
- Habla con alguien con que se haya entrevistado, presentado o hablado al mismo individuo o grupo.
- Envía un e-mail a la compañía o institución solicitando una copia del informe anual, folletos de marketing o publicaciones empresariales.

Si todo esto falla, y a menudo es así, procura charlar amigablemente con los primeros asistentes que lleguen al evento o reunión. Esto te permitirá realizar algunos reajustes in situ en el discurso o presentación. Por ejemplo, una mujer se dirigió a mí después de un seminario de una hora que había organizado en su organización y me contó que desde hacía algunas semanas se hallaba en un serio disparadero. Había intentado en vano cruzar unas palabras con los miembros de la audiencia antes de iniciar el discurso. Lo preparaba a conciencia y luego procuraba ser la primera en llegar a la compañía en la que tenía que hacer la presentación, en realidad el día antes.

Mantenía algunas conversaciones con los futuros asistentes y recopilaba valiosa información. En el transcurso de las mismas, prestaba atención a los distintos niveles de comprensión del tema que tenía la audiencia. Al principio se dirigía a quienes tenían ya una sobrada experiencia en el mismo, para luego descubrir que muchos de ellos eran recién llegados al sector. Sus nuevas percepciones exigían un reajuste en los planteamientos previos.

Tras revisar a fondo las frases originales de apertura, empezó diciendo: «He tenido el placer de conversar con algunos de ustedes esta mañana. Mis investigaciones in situ han revelado que poseen diferentes niveles de comprensión del tema del que vamos a hablar hoy. Para quienes no estén demasiado familiarizados con el mismo, dedicaré unos minutos a proporcionarles un esbozo de la situación. Si aun así tienen alguna pregunta que formular, les agradeceré que hablen conmigo una vez finalizada la presentación y les recomendaré algunos manuales que podrían ayudarles a llenar los vacíos».

CONOCER A LA AUDIENCIA PUEDE MODIFICAR EL OBJETIVO

La preparación de un mensaje eficaz constituye un proceso paso a paso similar al de la construcción. El peso de cada nuevo bloque de hormigón incide en la fuerza de los cimientos que proporciona la nueva información, que en ocasiones puede sugerir un cambio.

Cuando creas tener la seguridad de haber absorbido el suficiente material para conocer a fondo a la audiencia, retrocede y reexamina los objetivos específicos y generales, verificando si todavía son aplicables o si lo que has aprendido de la audiencia en el ínterin requiere un cambio o modificación en el foco de atención. De ser así, es preferible descubrirlo ahora, durante la etapa de preparación, cuando aún se está a tiempo de hacer algo al respecto, que más tarde, cuando ya no es posible cambiar la realidad de estar sirviendo un menú de chuletas a la barbacoa a una audiencia de vegetarianos.

3. Limitar el mensaje

Una de las consecuencias de haber comido en exceso es la incomodidad y el malestar que produce. Pues bien, la comunicación de una cantidad igualmente excesiva de información produce el mismo efecto.

Un buen orador, presentador o candidato en una entrevista no somete a su público a un alud de información imposible de absorber o retener. Así pues, el tercer ingrediente en la receta para una comunicación satisfactoria es un mensaje limitado y bien estructurado que permita a la audiencia recordar los datos que se le ha facilitado y actuar con arreglo a tus deseos. En otras palabras, debes eliminar la grasa y servir un entrante magro y sabroso.

Uno de mis clientes tenía que realizar una presentación explicando el progreso del departamento al presidente y jefe ejecutivo de su organización. Me sugirió escuchar una demostración del discurso y darle mi opinión. La presentación estaba programada para una duración de veinte minutos, cubriendo en ese tiempo todos los logros del departamento, aproximadamente cincuenta, en el transcurso del año anterior, pormenorizando cada uno de ellos. Después de los primeros, me distraje; después del décimo estaba haciendo considerables esfuerzos para evitar que se me cerraran los párpados, y cuando terminó... ¡había completado mentalmente la lista de compras de Navidad, regalos de cumpleaños y planes de vacaciones para el año siguiente! Era absolutamente imposible mantener la concentración, y aunque lo cierto era que el departamento había realizado los suficientes logros como para sentirse orgulloso de ello, no tenía ni idea de lo que realmente era importante. El mensaje se perdía en detalles.

Le sugerí que replanteara su estrategia con un enfoque más creativo, resaltando unos cuantos ejemplos significativos para ofrecer así una impresión de amplia panorámica.

Me asombra comprobar hasta qué punto muchos oradores, presentadores y candidatos en una entrevista reinciden una y otra vez en las mismas cuestiones y asfixian a su interlocutor hasta que éste no tiene más remedio que adoptar una actitud de autodefensa. En cambio, las audiencias aprecian que el orador haya realizado un considerable esfuerzo para servirles un plato apetitoso, atractivo y fácil de digerir.

Uno de mis clientes, por ejemplo, en el sector de la publicidad, me pidió que trabajara con su personal. Le pregunté qué era lo que deseaba que hicieran diferente, y de inmediato respondió: «¡Quiero que les ayudes a sintetizar!».

Me explicó que sus empleados le estaban volviendo loco en las reuniones de personal con su incapacidad para presentar la información y las ideas de una forma clara y concisa. «Además de divagar y divagar en un discurso que parece no tener fin —señaló—, intentan llenar tanto la maleta que al final no hay quien pueda con ella, ¡o por lo menos yo!» Aquello no sólo le irritaba sobremanera, sino que en algunos casos le enojaba pues, como vicepresidente de una empresa de rápido crecimiento, tenía muchas responsabilidades y poco tiempo. «Es importante para mí ser capaz de apoyar las ideas e intereses de mis empleados —dijo—, pero tienen que ayudarme. Quiero que sepan informarme única y exclusivamente de aquello que necesito saber en un momento dado.»

Muchos de nosotros somos culpables de sobrecargar los circuitos de nuestras audiencias. Tengo la seguridad de que en alguna ocasión has pasado por la experiencia de sentarte entre los asistentes a una conferencia, reunión o seminario y a los pocos minutos echar una ojeada tras otra al reloj preguntándote: «¿Cuándo va a terminar todo esto?» y «¿Por qué estoy aquí?».

Pues esto es precisamente lo que tus oyentes están pensando cuando intentas abrumarlos con un mensaje sobrecargado de información.

Pero, por favor, no seas demasiado duro contigo mismo. Es una tendencia habitual. Sabemos tanto de nuestra experiencia/tema/historia, que creemos tener la necesidad de vomitarlo todo, so pena de que la otra persona no perciba la panorámica general.

Recuerda que las audiencias hoy en día reaccionan ante rápidas imágenes visuales. Los períodos de atención son breves, la multifuncionalidad es rutinaria y estamos avezados a captar la información de una forma selectiva. La información nos asalta a borbotones y resulta imposible procesarla en su totalidad. Éste es el motivo por que cual debes ser selectivo y facilitar la digestión de las ideas.

También es importante reconocer que una comunicación oral es muy diferente de otra escrita. Si redacto un informe y lo distribuyo para su lectura, tendrás la oportunidad de revisarlo varias veces y releer los puntos más significativos para comprenderlos mejor. Pero en un mensaje oral dispones de una sola oportunidad para comunicarlos correctamente y, con frecuencia, en un período de tiempo muy limitado. De ahí que haya que diseñar la comunicación de tal modo que pueda ofrecer, en el marco de este lapso temporal, lo que realmente se quiere decir y no todo cuanto se podría decir.

A PEQUEÑOS BOCADOS

El *brainstorming*, que se podría traducir en castellano como «tormenta de ideas por generación espontánea», es una forma de seleccionar y consolidar los puntos más significativos del mensaje.

Supongamos que te han concedido treinta minutos para hacer un discurso, presentación o entrevista. Mientras te sometes al proceso de *brainstorming* para decidir lo que debes y no debes incluir en el mensaje, intenta ceñirte a tres o cuatro ideas o puntos esenciales con los que podrías alcanzar el objetivo que te has propuesto. Para ello formúlate la siguiente pregunta para cada idea o punto: «¿Contribuye a potenciar mi objetivo?». Si no puedes responder con un «Sí», deberías considerar la posibilidad de relegarlo a la espera de una mejor ocasión. Imaginemos que al final todo queda reducido a diez ideas principales o puntos esenciales que desearías abordar y agrupar bajo cuatro o cinco títulos. El objetivo de este ejercicio consiste en eliminar lo irrelevante, confuso o redundante.

DISTRIBUCIÓN DEL TIEMPO

¿Cómo se puede profundizar en cuatro o cinco puntos importantes en, pongamos por caso, treinta minutos sin que falte tiempo? Vamos a examinar dos ejemplos de la fórmula que suelo utilizar con mis clientes y que permite disponer del tiempo suficiente para abordar cada punto y disponer de algunos minutos para dedicar al turno de ruegos y preguntas o a solucionar cualquier imprevisto.

Ejemplo 1

Vamos a suponer que tienes cuatro puntos o títulos temáticos que deberás comentar durante la presentación para poder alcanzar tu objetivo:

No lo olvides

Analiza los pros y los contras y extrae conclusiones positivas. Presta atención a los programas de noticias de la televisión y observa cómo despiertan tu interés destacando los cuatro o cinco titulares o temas que comentarán durante la media hora siguiente, y luego consiguen su objetivo de mantenerlo hasta el final desarrollando el mensaje de una forma simple y ágil. De igual modo, la próxima vez que escuches a un orador, cuenta el número de ideas que ha incluido en su discurso. Si has sido capaz de limitarlo correctamente, te resultará muy fácil recordar las ideas sin dificultad, incluso semanas después.

Minutos por punto principal: 6 (x 4) = 24 minutos
Minutos para comentarios de apertura: 1 = 25 minutos
Minutos para comentarios de cierre: 1 = 26 minutos
Minutos para ruegos y preguntas: 4 = 30 minutos

Ejemplo 2

Bien, vayamos ahora con el mismo número de puntos principales o títulos temáticos, y el mismo período de treinta minutos, pero suponiendo que te sentirías más cómodo disponiendo de algo más de tiempo para los comentarios de apertura y conclusión, y sobre todo, para el turno de ruegos y preguntas.

Minutos por punto principal: 3 (x 4) = 12 minutos
Minutos para comentarios de apertura: 5 = 17 minutos
Minutos para comentarios de cierre: 2 = 19 minutos
Minutos para ruegos y preguntas: 11 = 30 minutos

REFLEXIONA

Al limitar el mensaje, demuestras que valoras el tiempo de la audiencia distribuyéndolo rentable y provechosamente. Esto hace que los oyentes se pongan de tu lado desde el principio, lo cual te proporciona una sensación de mayor comodidad y, en consecuencia, confianza y seguridad en ti mismo para alcanzar los objetivos que te has propuesto.

Como verás, estas fórmulas son lo bastante flexibles como para permitir cualquier tipo de reajuste. Úsalas a modo de guía para desglosar tu mensaje en porciones fáciles de tragar, y determina qué es lo que da mejores resultados en relación con cada mensaje en particular y se ajusta a tu zona de confort.

4. Crear una estructura

Ya sabes cuál es el objetivo que persigues, comprendes las preocupaciones e intereses de la audiencia y has limitado el mensaje reduciéndolo a unas cuantas ideas principales fáciles de absorber. ¿Qué viene a continuación? Organizar la información y exponerla de tal manera que contribuya al cumplimiento de tus objetivos.

Estructurar la presentación del mensaje es el puente que se extiende desde la etapa de desarrollo hasta la de exposición en el proceso de hablar en público. La estructura es lo que te permite operar con eficacia en condiciones de estrés y elegir correctamente, convirtiendo las posibilidades en oportunidades.

No lo olvides

¿Te resulta familiar? Tras haber dedicado días, incluso semanas, a preparar una reunión de ventas, presentación o entrevista de trabajo, acudes a la cita y, por desgracia, la persona o personas con las que debes hablar te comunican que «lo sienten muchísimo», pero a causa de un imprevisto o de una situación que exige una urgente atención habrá que acortar el tiempo preprogramado. Apenas disponen de cinco minutos. Tu primer impulso, ¡después del de gritar y patalear como un energúmeno!, es sugerir el aplazamiento de la cita para un día y hora más convenientes. El segundo impulso es seguir adelante con el plan original pero hablar lo más deprisa posible para abordar todos los temas en los cinco minutos disponibles. ¿Qué deberías hacer? La respuesta es: nada de ambas cosas. Prepara una versión *fast food* de la exposición durante el proceso previo de *brainstorming* formulándote la pregunta siguiente: «¿Qué debería incluir o eliminar en el caso de que los planes para una cena queden sustituidos por un fugaz desayuno?». Además de facilitarte la posibilidad de seguir el curso de los acontecimientos, con lo cual podrías, a pesar de todos los pesares, alcanzar tus objetivos, la preparación de un desglose de puntos e ideas en versión larga y corta, y su apropiada estructuración para presentarlos simplificará el proceso de identificación y eliminación de lo innecesario.

Las audiencias también necesitan estructura. No suelen responder favorablemente a una falta de organización por parte del candidato a un puesto de trabajo, orador o presentador. Tienen la sensación de que si no has dedicado el tiempo suficiente a preparar la entrevista, discurso o presentación, ¿qué interés tendrá para ellos haberte contratado, o prestar atención o actuar sobre la base de tus sugerencias?, llegando a la conclusión de que si gestionas el tiempo de una forma tan displicente, también harás lo propio con el resto de tu actividad profesional y, probablemente, también de tus asuntos personales.

RESISTENCIA

Incluso dedicando un corto período de tiempo a estructurar el mensaje marca la diferencia entre comentarios como:

- «¡Era tan fácil de entender!»
- «¡Captó ni atención de principio a fin!»
- «¿Ya ha terminado?»

Y otros como:

- «Me pregunto qué pondrán en la tele esta noche»
- «Si me duermo un poquito, tal vez nadie se dé cuenta»
- «¿Aún no ha terminado?»

Aun así, la gente evita invertir ni siquiera una brevísima cantidad de tiempo organizando y estructurando su mensaje. ¿A qué se debe semejante actitud? Veamos algunas de las excusas más comunes:

REFLEXIONA

Dado que hay tantas cosas que escapan de nuestro control y que fomentan la ansiedad en situaciones de hablar en público, ¿no merece la pena hacer todo lo posible para controlar lo que sí se puede controlar? Como veíamos en la primera parte del libro, durante una etapa de mi carrera viajé por todo el país como conferenciante en temas de empresa. No era infrecuente para mí desplazarme a varias ciudades cada semana, hablando en múltiples eventos. Cada lugar era diferente del siguiente y me presentaba nuevas circunstancias y dificultades que iban más allá de mi capacidad de control. En uno de ellos, por ejemplo, la plataforma desde la que tenía que hablar estaba demasiado alta, en otro, los técnicos responsables del equipo de audio y vídeo armaban un estropicio —¡sabían menos que yo del tema!—, o quizá, de repente, me sorprendía la gripe, pero aun así tenía que seguir adelante. Pero independientemente de cuanto se cruzara en mi camino y escapara de mi control, era consciente de que era capaz de recuperarme fácilmente y seguir allí, impertérrita, inamovible, pues había diseñado una estructura para exponer mi mensaje que me guiaba y que me permitía llegar siempre a buen puerto.

- *«Estoy demasiado ocupado. No tengo tiempo.»* Es una frase muy habitual, sobre todo entre los ejecutivos y hombres de negocios. Pues claro que sí, todos estamos ocupados, sometidos a la necesidad del pluriempleo, cuidando de los hijos, de los padres, etc. Pero seamos sinceros. La mayoría de nosotros desperdiciamos una asombrosa cantidad de tiempo evitando tareas desagradables. Si dedicáramos una mínima parte del tiempo y energía que echamos por la borda con tanto evitar y no estructurar la forma en la que vamos a presentar la información que se arremolina en nuestro cerebro, en realidad ahorraríamos tiempo y eliminaríamos tanta confusión, la causa principal de la ansiedad.

- *«Me gusta la espontaneidad. Prefiero mostrarme natural, tal cual soy.»* Lo único que se consigue con un enfoque informal de este tipo es dar una impresión «desorganizada», «incoherente» y «crispada». Ésta es la escuela de excusas «acierta o falla», considerando la posibilidad de tener la suerte de nuestro lado y triunfar sin preparación. Si me lo preguntas, te diré que desafortunadamente las probabilidades son muy escasas. Los oradores que parecen espontáneos y naturales son así precisamente porque han organizado su mensaje.

- *«No sé organizar el mensaje.»* De acuerdo, por lo menos esta excusa tiene algo de meritoria, especialmente en el caso de los Evitadores e Improvisadores, que, respectivamente, nunca han aprendido a organizar un discurso o una presentación, o a prepararse para una entrevista de trabajo.

- *«Es demasiado difícil.»* Lo que cuesta realmente es empezar, pero cuando ya lo has hecho y sabes cómo hacerlo, estructurar el mensaje y saber cómo hay que transmitirlo resulta increíblemente fácil.

La mezcla perfecta

Un buen *chef* sirve un entrante sobradamente apetitoso que permita adivinar las maravillas culinarias que nos esperan. Luego sirve un plato fuerte bien aderezado y lo remata con un postre de aquellos que se te hace la boca agua, que no sólo completa el ágape, sino que también deja una impresión duradera.

De un modo similar, un buen comunicador estructura su mensaje para

- predisponer a la audiencia a escuchar lo que tiene que decir;
- mantener a la audiencia implicada en el discurso hasta el final;
- ayudar a la audiencia a recordar el mensaje y actuar en consecuencia;
- permitir al comunicador ser flexible y espontáneo.

Para conseguir esta mezcla perfecta de posicionamiento y persuasión en la presentación, aplica la fórmula de desglose del contenido del mensaje, estableciendo un comienzo, desarrollo y conclusión claros, un formato que les indique lo que vas a decirles, lo que les estás diciendo y lo que les has dicho.

La mezcla perfecta consta de los elementos siguientes:

1. Una apertura o introducción cautivadora, un Objetivo Orientado a la Audiencia, o declaración de propósitos, que siente las bases de un intercambio positivo de información.

2. Un desarrollo (o cuerpo del discurso) absorbente, con un buen equilibrio entre la información basada en los datos que se desea comunicar a los oyentes y el material anecdótico con el que se puedan identificar y que respalde eficazmente esa información.

3. Un cierre poderoso que desencadene una respuesta o acción.

(1) APERTURA CAUTIVADORA

Es aquí donde sientas las bases del desarrollo de la presentación, al igual que el preestreno de una película, que te sugiere emocionantes sentimientos en relación con lo que puedes esperar y quieres ver. Tienes la gran oportunidad de que el auditorio suba a bordo y navegue en la misma dirección preparándolos para el viaje que van a emprender contigo, y determinando la razón por la cual merece la pena invertir tiempo.

Estableces una relación, una conexión entre tú y tus oyentes, a algunos de los cuales tal vez sea la primera vez que te diriges a ellos.

Cuando te presentan a una persona en un entorno casual, dedicas unos segundos a enjuiciar la empatía que te sugiere: ¿Me gusta? ¿Me disgusta? ¿Es simpático? ¿Amable? ¿Formal? Esta emisión previa de juicios de valor se produce rápida y naturalmente. Lo mismo ocurre en las situaciones de exposición pública. Los oyentes te evaluarán de inmediato. Si estableces una relación rápida, les estarás proporcionando todo cuanto necesitan para concluir con un juicio positivo.

Las relaciones deben ser genuinas para ser eficaces

Si has conocido alguna vez a un vendedor que intenta asumir desde el primer momento el rol de tu mejor amigo, ya sabrás a lo que me refiero cuando hablo de falsa relación. No sólo es molesto, sino también increíblemente exasperante.

Recientemente, mi marido y yo habíamos puesto la casa en venta. No teníamos ni idea de cómo debíamos presentar la oferta, de manera que concertamos una cita con una agente de la propiedad inmobiliaria, pidiéndole que recabara información y nos asesorara. Al llegar, estrechó agresivamente la mano de mi marido, ignorándome por completo, y luego charló brevemente con él, comentándole que había conocido a su difunto padre y que había sido un miembro prominente de la comunidad. Al concluir, nos miró y dijo muy seria: «Bien. ¡Hemos congeniado perfectamente!».

Evidentemente, había leído en un manual de ventas acerca de la importancia de establecer una estrecha relación con el cliente, y a fe que había absorbido la técnica, pues acto seguido se zambulló en una perorata memorizada, o por lo menos así lo parecía, sobre cuánto tiempo llevaba la agencia en el sector, cuán comprometida se sentía a vender nuestra casa, entre un largo etcétera. Pero cuando le pregunté si había traído la información que le había pedido, dijo que lo había «olvidado».

¿Relación instantánea? ¡Ni hablar!, ni nunca la habría, pues no sólo no había hecho lo que le habíamos pedido que hiciera, ¡sino que ni siquiera había hecho lo que ella misma nos dijo que iba a hacer!

Elementos de una buena apertura

El «gancho»

Si no dispones de un mecanismo creativo para captar la atención de la audiencia y estimular su implicación, pon manos a la obra, pero ten en cuenta que tu «gancho» debe ser apropiado para la ocasión y ceñirse al tema del discurso o presentación.

Una breve anécdota específicamente relacionada con el tema a tratar constituye un poderoso comienzo. El buen humor nunca está de más. Por ejemplo, una vez utilicé un videoclip* de la película *Defending Your Life* para enmarcar mis comentarios iniciales en una presentación que había titulado «Cómo superar el miedo y la aversión al podio». El clip mostraba al protagonista del film, interpretado por Albert Brooks, paralizado de miedo y sudando a borbotones antes de hacer un discurso. Concluida la cinta, pregunté: «¿Hay alguien más entre ustedes que se sienta así, o soy yo la única?». Una forma divertida pero provocativa

---

* Ten cuidado. Para utilizar cualquier tipo de material con copyright, como en el caso de un clip de una película, en un lugar público, debes solicitar de antemano la correspondiente autorización por escrito del tenedor de los derechos. Como alternativa, y créeme, es un quebradero de cabeza, podría haber descrito la escena y concluir con el mismo comentario. Habría sido igualmente eficaz.

de presentarme ante la audiencia y de centrar al milímetro el tema que nos ocupaba.

Formular una pregunta hipotética que requiere una respuesta participatoria es otra forma sencilla pero eficaz de romper el hielo. Supongamos que el tema sobre el que versará la presentación es la nutrición. Podrías abrir el discurso diciendo «Levanten la mano quienes utilicen suplementos nutricionales, por favor. Gracias. Ahora, ¿cuántos de ustedes usan más de diez al día? Muy bien, lo que voy a decirles a continuación puede cambiar su forma de pensar acerca de la nutrición y la salud».

La atención de la audiencia se puede captar de diversas formas participatorias: pidiéndoles que se pongan en pie; que digan algo; que piensen en algo; que hagan algo, etc. Usa lo que te dé mejores resultados, sin olvidar cuál es el propósito principal: borrar de la mente de los oyentes todo cuanto estaban pensando antes de empezar a hablar y conseguir que se concentren en el tema en cuestión.

Objetivo basado en la audiencia

El Objetivo Basado en la Audiencia (OBA) consiste en una declaración que posiciona y enmarca el mensaje desde la perspectiva de la audiencia. Independientemente del tipo de comunicación, con la única excepción de las entrevistas, siempre sugiero a mis clientes que centren la atención de sus oyentes con una idea que combine el «propósito» de la comunicación y el «beneficio» que supone para ellos. De este modo les estás proporcionando una razón y la motivación suficiente para escuchar lo que tienes que decir. Tanto si estás comunicando un mensaje inspirativo a tus empleados, solicitando donaciones para la entidad de beneficencia en la que colaboras, como si estás presentando un informe sobre la marcha del departamento, debes transmitir a la audiencia el motivo por el cual merecerá la pena que dediquen los minutos siguientes a escucharte.

Omitir esta declaración y empezar a hablar sin más constituye un craso error. Curiosamente, algunos de los hombres de negocios más brillantes y experimentados con los que he trabajado lo han cometido en alguna que otra ocasión, dando por sentado que, por el mero hecho del cargo que ocupan o del prestigio que los avala, sus oyentes se verán obligados a escucharlos.

Pero ¿no es acaso mejor que la audiencia «desee» escucharte en lugar de que se vea obligada a hacerlo?

Tomarse el tiempo necesario para determinar el Objetivo Basado en la Audiencia en los comentarios iniciales marca una significativa diferencia en la forma en la que la audiencia responderá ante tu mensaje. Es un instrumento poderoso y persuasivo.

Imaginemos que te han pedido que informes a los empleados de tu departamento de las medidas de seguridad que hay que seguir en caso de incendio. En lugar de empezar diciendo «Esto es lo que hay que hacer si se dispara la alarma de incendios», es decir, lo que la inmensa mayoría de nosotros haríamos a causa de nuestra tendencia a pensar «¿Para qué necesito saberlo? ¿Me sucederá a mí en alguna ocasión?», introduce algunas reflexiones que les permita adivinar la utilidad de esa información. Por ejemplo, tu OBA podría ser: «Les voy a explicar los diez pasos en nuestro procedimiento de incendios para que sepan en qué consisten, y lo que es más importante, cómo se conjugan todos ellos en la salvaguarda de nuestra vida».

Si introduces tu Objetivo Basado en la Audiencia ilustrándolo con una experiencia personal o de alguien que conozcas y que se haya encontrado en una situación en la que conocer esta información le salvó la vida, habrás captado la atención de la audiencia con un definitivo «Me interesa lo que va a decir».

La única situación en la que no suele ser aplicable es la entrevista. El entrevistador es quien casi siempre inicia la conversación. Resultaría demasiado formal y, tal vez fuera de lugar, empezar una entrevista diciendo «En los próximos veinte minutos le demostraré el valor añadido que puedo ofrecerle como candidato potencial para el puesto de trabajo en este departamento y para la organización considerada en su conjunto a medio y largo plazo». ¡Es muy probable que el entrevistador entornara los ojos y se arrellanara en su butaca preparándose para un largo viaje! En una entrevista puedes incidir en áreas de discusión específicas respondiendo a una pregunta como «¿Por qué cree que es el candidato idóneo para este trabajo?» y otras similares con frases de reafirmación tales como «Estoy convencido de que mi perfil profesional se ajusta perfectamente a las características de este puesto de trabajo; estoy acostumbrado a trabajar bajo presión. En la universidad solía realizar varias tareas simultáneamente, como por ejemplo...».

Declaración previa

Cuando conduces un coche, no giras sin indicar previamente la maniobra con el intermitente, ¡o por lo menos no deberías hacerlo! De lo contrario, podrías provocar un accidente. Lo mismo se aplica aquí. Debes dar a los oyentes una idea de la dirección en la que los llevarás para que no se pierdan o desvíen del tema con un giro inesperado.

En este sentido, la declaración previa es una técnica que da excelentes resultados y que resume brevemente la cuestión que vas a abordar en la presentación y el modo en el que pretendes canalizar la discusión para que tus oyentes sepan adónde vas a conducirlos y sean capaces de seguirte.

La declaración previa puede ser tan simple como «Hablaré de nuestro nuevo proyecto: en qué etapa de halla, cuál es su objetivo y cómo se desarrollará en el transcurso de los próximos meses», o también «Hoy trataré los temas A, B, C y D, pero voy a empezar por el D, pues sé que es el más les preocupa. Luego revisaremos los tres anteriores».

REFLEXIONA

En cada situación de exposición pública, un tercio de la audiencia se mostrará instantáneamente predispuesta a aceptarte; la reacción de otro tercio es probable que no sea favorable de inmediato por razones que escapan totalmente de tu control, tales como tu parecido físico a un hermano, tía o suegra que les disgusta; y el último tercio recalará en el fiel de la balanza, sin decidir hacia dónde se inclinará. Si estableces una relación, indicando claramente adónde quieres conducir a tus oyentes y el valor añadido derivado de prestarte atención, puedes empujar al último tercio a que se incline a tu favor. Llegados a este punto, con el 66% de tu lado, las probabilidades de que los demás hagan lo propio son considerables, ¡aun en el caso de que les recuerdes a su familia política!

Una declaración inicial atractiva y subyugante, un Objetivo Basado en la Audiencia que demuestre el valor de escucharte, y una declaración previa que oriente a la audiencia hacia la luz que se divisa al final del túnel son los elementos que debes comprender y utilizar para sentar las bases apropiadas tanto para ti como para la audiencia si deseas convertirte en un comunicador eficaz.

(2)   UN DESARROLLO QUE EQUILIBRE LA INFORMACIÓN BASADA EN LOS DATOS Y EL APOYO ANECDÓTICO

Si una receta culinaria requiere dos cucharadas de curry en polvo y le añades un vaso, te arriesgas a que los comensales se precipiten sobre la jarra de agua. Pues bien, hablar en público funciona de la misma forma.

El cuerpo de la comunicación versa sobre las ideas o mensajes clave que quieres transmitir a la audiencia para que actúe en consecuencia. De ahí que tengas que preguntarte: «¿Cómo podría presentárselo de un modo creíble y memorable al mismo tiempo?». La respuesta es equilibrar los datos (estadísticas, evidencias fácticas, etc.) con el suficiente material de apoyo anecdótico (ejemplos, experiencias personales, analogías, etc.) para implicar y convencer a los oyentes de la necesidad de recordar lo que estás diciendo y actuar a partir de la información que les has facilitado.

No todos los miembros de la audiencia procesarán la información del mismo modo que tú. Si eres un individuo analítico y apasionado por los datos que se ciñe ciegamente a los hechos en los discursos o presentaciones, la combinación de anécdotas con tales datos, figuras y gráficas de tarta te permitirá calar hondo en quienes te están escuchando. Por el contrario, si eres un extraordinario «cuentacuentos» inclinado al uso de anécdotas en tu comunicación, asegúrate de mezclar también algunos datos que refuercen tu credibilidad y satisfagan al segmento de la audiencia que siente una especial debilidad por los hechos y las cifras.

Supongamos que te están entrevistando para un empleo que requiere un más que considerable trabajo en equipo. Tras haber cautivado al jefe de personal con una excelente apertura, todo se vendrá abajo si continúas tu discurso con algo así como «Soy un magnífico jugador de equipo. Practicaba muchos deportes en la universidad y nunca perdí un partido. Me encantan los equipos». ¡Aburrido!

A estas alturas, tu mensaje necesita una concienzuda preparación y estructuración, y la mejor manera de conseguirlo es aportando algunos datos estadísticos reales relacionados con lo que acabas de citar, confirmando exactamente cómo te has comportado como parte de un equipo para alcanzarlos. Además de presentar tu caso de una forma más interesante y seductora, recuperarás la misma energía y entusiasmo que sentías como jugador de equipo, ofreciendo una clara imagen de ti mismo.

Una amiga mía experta en recursos humanos lo ha confirmado. «La importancia de la reafirmación anecdótica del mensaje en una entrevista de trabajo, reunión de personal o cualquier otra situación profesional en la que presentas muchos datos [«secos»] es fundamental», dice. «Por ejemplo, después de entrevistar a los candidatos a un empleo, quienes tienen que tomar una decisión al respecto, incluida yo, nos reunimos a puerta cerrada para conversar con ellos y proceder a una selección final. Invariablemente, el candidato al que ofrecemos el puesto de trabajo es el que destaca por encima de los demás en términos de presentación de una forma clara y sencilla de sus cualificaciones, acompañado de anécdotas que complementan la presentación. Tengo la seguridad de no estar cometiendo ningún error al poner en sus manos el bate.»

Contar historias

Mi experiencia como oradora me ha enseñado que la gente siempre recuerda una historia bien relatada relacionada con alguno de los puntos que he tratado en un seminario o conferencia. En determinados casos, acuden a mí años más tarde y dicen: «¡Aún recuerdo aquella historia que contó! Me viene a la memoria cada vez que me encuentro en una situación similar». Lo que en realidad están diciendo es que recuerdan el punto que expuse durante la sesión y que complementé con aquella historia.

Teniendo en cuenta que lo hacen como *modus vivendi*, los oradores profesionales saben dónde encontrar historias y cómo estructurarlas, utilizando incluso técnicas de acción para dar vida a su mensaje. La búsqueda de nuevas historias para incluir en sus discursos y presentaciones es constante. Les insuflan aire fresco. Pero no hace falta ser un orador profesional para utilizar estas técnicas. Basta aprender los principios básicos de un buen cuentacuentos e insertar algunas historias relacionadas con el tema o mensaje en la próxima situación de aparición pública, entrevista de trabajo o presentación.

Estructuración de la historia

Una forma rápida y fácil de recordar los principios de estructuración de una historia para que el mensaje cobre vida consiste en pensar en la palabra PCORD, un acrónimo que he acuñado y que significa lo siguiente:

Personajes y Conflicto — Establece la escena presentando y describiendo los personajes de la historia y el conflicto o conflictos que deben afrontar y superar, relacionados con tu mensaje.

Obstáculo a superar — Explica cómo los personajes abordan el obstáculo al que deben enfrentarse en un esfuerzo por superarlo.

Resolución — Cuenta a los oyentes cómo concluye el proceso.

Desenlace — Asocia el desenlace, positivo o negativo, al punto, idea u objetivo principal del mensaje.

Este concepto también se puede utilizar eficazmente para estructurar historias en una entrevista de trabajo o situación de ventas. Vamos a examinar un escenario típico de una entrevista. Una de las cosas más habituales que se pide que haga el candidato a un puesto de trabajo durante la entrevista es describir un problema relacionado o no con el trabajo que en alguna ocasión tuvo que solucionar. Supongamos que responde explicando cómo, tras haberte graduado en el instituto a los diecisiete años, tuviste que buscar un empleo en verano para contribuir a sufragar los gastos del primer curso en la universidad. Al carecer de experiencia laboral, te esforzaste para convencer a los contratistas potenciales de por qué si te ofrecían el empleo redundaría en su provecho. Les explicaste que lo que carecías de experiencia lo suplías con afán de trabajo y espíritu de equipo, dando un ejemplo de cómo aplicaste aquellas cualidades para ingresar en el equipo de fútbol del instituto. Aquel verano conseguiste no una, sino varias ofertas interesantes de trabajo. En la actualidad continúas aplicando los mismos principios de afán de trabajo y espíritu de equipo a cada nuevo reto profesional al que te enfrentas.

Entrevista

Personaje y Conflicto: Graduado en el instituto a los diecisiete años, necesitas un empleo para costear la universidad.
Obstáculo a superar: Falta de experiencia.
Resolución: Qué hiciste para persuadir a los contratistas potenciales para que te ofrecieran el trabajo.
Desenlace: Aplicando los mismos principios a tus hábitos de trabajo actuales, tu contratación también redunda en provecho de la empresa.

Apliquemos ahora el PCORD a una situación de ventas.

Imaginemos que estás ofreciendo tus servicios a un cliente que tiene un determinado problema en su compañía. Le dices que tuviste otro cliente con el mismo problema o similar y describes con detalle aquella experiencia, utilizando todo el colorido e imaginación disponibles y cómo tu servicio superó con creces sus expectativas en la resolución del problema, quedando extremadamente satisfecho. A continuación señalas que si en aquella ocasión tu participación contribuyó decisivamente a la resolución satisfactoria del problema, también puede suceder lo mismo en el caso que le preocupa.

Ventas

Personaje y Conflicto: El cliente con un problema en su empresa que necesita solución.

Obstáculo a superar: El problema (lo que funciona mal y el perjuicio que está causando en su negocio).

Resolución: La aplicación de tu servicio a otro problema similar y el grado de satisfacción del cliente al solucionarlo.

Desenlace: Tu servicio también puede ofrecer la misma solución satisfactoria y generar el mismo nivel de satisfacción a este cliente.

Dónde encontrar historias

Veamos algunas ideas apropiadas que te pueden ayudar a encontrar posibles fuentes de material para tus historias:

a) La rutina diaria. ¿Has regresado alguna vez a tu casa después de un largo y duro día de trabajo y has dicho a tu pareja o compañero de apartamento: «No vas a creer lo que me ha sucedido hoy»? Acto seguido desarrollas una historia acerca del idiota del despacho contiguo que pasa el día interrumpiéndote con preguntas estúpidas mientras tú tienes entre manos un proyecto con una fecha límite que se aproxima a toda velocidad. Y lo peor es que no puedes cerrar la puerta..., ¡no hay ninguna! Este tipo de incidente entresacado de la vida cotidiana es algo con lo que todos podemos identificarnos y que puede complementar y esclarecer a la perfección el mensaje en una presentación.

b) Lecciones aprendidas. Recuerda lecciones valiosas que hayas aprendido de experiencias y retos a los que te has enfrentado y éxitos que hayas conseguido en tu vida personal o profesional, y aplícalos a la situación de empresa. Tal vez se trate de una importante lección que aprendiste de un excelente profesor; consejero espiritual, sacerdote o rabí; *coach*; directivo de talento para el que trabajaste; alguien que te dejó una huella profunda por sus cualidades éticas; o cómo alguien que conocías se las ingenió para superar sus dificultades. De ser así, explica cómo y por qué mereció la pena aprender aquella lección y luego asóciala al mensaje.

c) Observaciones generales. Sé observador. Presta atención no sólo a las dificultades y tribulaciones que hayas experimentado en el día a día para estructurar historias, sino también a los comentarios casuales, actividades rutinarias y problemas de tu pareja, hijos, amigos y compañeros de trabajo.

Si temes olvidar alguna de las historias que seleccionaste mientras preparabas el discurso o presentación, haz lo que suelen hacer los escritores y oradores profesionales: lleva siempre encima un bloc de notas, incluso tenlo a mano en la mesita de noche cuando te acuestes. Cuando recuerdes alguna, anota los detalles en el bloc. De este modo, ni siquiera tendrás que esforzarte por recordarla durante la presentación.

Recurre a las analogías

Las analogías pueden reafirmar poderosamente tu mensaje, pues ayudan a los oyentes a captar las ideas complejas o poco habituales, traduciéndolas a un lenguaje o términos fácilmente comprensibles.

Recientemente, por ejemplo, uno de mis clientes fue ascendido a un cargo que requería hablar mucho en público. Estaba nervioso porque carecía de experiencia y, en consecuencia, las expectativas no eran demasiado halagüeñas a este respecto. Su estilo de oratoria era afectado y deslucido, y su contenido carecía de persuasión y estaba totalmente orientado a los datos.

Le pregunté si tenía alguna afición, y dijo que le encantaba jugar al golf. Personalmente, nunca he practicado este deporte, pero he visto lo suficiente en televisión como para por lo menos saber quién es Tiger Woods. Así pues, le pedí que me explicara qué debería aprender para ser capaz de jugar al golf. Él respondió: «Tendrías que concentrarte en tres cosas: el *stance* (posición de los pies), el *grip* (sujeción del palo) y el *swing* (movimiento circular que describe el palo al ejecutar el golpe). Cuando todo está sincronizado, estás en el buen camino para llegar a ser un buen golfista».

Curiosamente, el tema de la presentación que debía pronunciar pocas semanas después también constaba de tres elementos clave: diseño, tecnología y marketing, los cuales, una vez integrados, incidían de una forma muy significativa en el rendimiento. En este sentido, el mensaje de la presentación de todo en conjunto era mayor que la suma de sus partes, lo cual no distaba demasiado de lo que me había contado acerca del golf. Estaba convencida de que muchos de los asistentes a la presentación jugarían al golf, o por lo menos, al igual que yo, estarían familiarizados con aquel deporte, de manera que le sugerí que desarrollara la analogía en su discurso, complementándolo con anécdotas personales en relación con sus propias experiencias en el campo y sus observaciones acerca del mundo del golf que pudieran estar asociadas al tema y los datos que debería exponer a la audiencia. ¡Embocó un *hole in one*! En efecto, no sólo consiguió que la presentación cobrara vida y captara la atención de los oyentes, sino que el orador que le seguía en turno revisó sobre la marcha las notas de apertura que había preparado para la ocasión para continuar con la analogía del golf en el tema que debía desarrollar.

Utilizar transiciones

Unas de las principales razones por las que la gente vacila, tartamudea, se desvía en el hilo de la exposición y se confunde o extravía a la audiencia al hablar en público es que no incluyen transiciones en su comunicación. Utilizando frases transicionales tan simples como «Hemos hablado de X, ahora examinaremos Y» o «Llegados a este punto, veamos adónde nos dirigiremos a continuación» te ayudarán, a ti y a tus oyentes, a no perder la pauta de desarrollo del discurso, presentación o entrevista.

Confecciona una lista de frases transicionales. No le des demasiadas vueltas ni trates de ser excesivamente imaginativo; transiciones simples como las que acabo de citar.

No lo olvides

No hay nada como una comida bien presentada, es decir, que tenga un aspecto atractivo además de un sabor delicioso. Pero la presentación debe complementar la comida, no recargarla. Lo mismo ocurre al hablar en público. Recuerda el refrán «Menos es más». Los ordenadores portátiles, las presentaciones de PowerPoint y una miríada de otros espléndidos recursos se emplean para añadir impacto visual a un discurso, presentación o entrevista. Te aconsejo que los utilices, pero no para distraer a la audiencia del mensaje que estás comunicando con una avalancha de datos e imágenes. Con todo el respeto debido al difunto alcalde LcLuhan, aquí el medio no es el mensaje, sino las palabras.

Anótalas en las páginas del discurso, los puntos a tratar en la presentación o la hoja-guía para la entrevista en la que vas a utilizarlas, relegando al pasado aquellas enojosas transiciones no terminológicas tales como «mmm», «eee», etc. que tanto molestan a los oyentes.

Humaniza el mensaje

Es esto a lo que suelo referirme cuando hablo de «personalizar el mensaje», aunque es recomendable refrasearlo, pues algunos clientes, en especial los ejecutivos de negocios, lo interpretan como si estuvieras compartiendo con ellos información personal única y exclusivamente aplicable a una consulta médica o diván de psiquiatra. Les asusta. Utiliza el término «humanizar». Sea como fuere, cualquier palabra cuyo significado encierre este concepto es un arma muy poderosa para comunicar tu «yo» auténtico, ya que confiere a lo que estás diciendo una experiencia o sesgo personal que potencia el mensaje a oídos de la audiencia.

Un extraordinario ejemplo de cómo humanizar satisfactoriamente un discurso fue el de uno de mis clientes, presidente de su propia compañía y al que llamaré Brad. Tenía que dar varios discursos complejos a sus empleados en todo el país. El clima empresarial no era fácil. Se habían previsto reducciones de plantilla y una completa reorganización de la firma, y a los empleados restantes se les pediría que hicieran más con menos. ¿Te resulta familiar?

En este tipo de situaciones, las empresas suelen comunicar las malas nuevas de un modo robotizado que a menudo el personal considera dictatorial y deshumanizado, es decir, un mensaje que parece no tener en cuenta en lo más mínimo los sentimientos del empleado.

Pero Brad era un buen líder y quería que su gente se sintiera parte de una cultura que velaba por su bienestar. Asimismo, disfrutaba hablando y, a decir verdad, lo hacía bastante bien, o por lo menos mejor que muchos jefes ejecutivos que he conocido. Sin embargo, sus esfuerzos para inspirar y motivar no estaban teniendo los resultados apetecidos; no estaba conectando con sus empleados al nivel deseado.

Dado que su objetivo era motivar al personal para que trabajara con más ahínco a pesar del significativo estrés a que los recortes de plantilla y política de «apretarse el cinturón» sin duda someterían a la vida personal y profesional de los empleados, le pregunté: «¿Quién le enseñó los valores y ética de trabajo que le caracterizan? Dicho de otro modo, ¿Quién le ha motivado en el transcurso de su carrera profesional a trabajar un poco más duro en situaciones difíciles?».

«Mi abuelo», fue la respuesta. Le pedí que me hablara de él, desarrollando una hermosa historia que evocó en mí imágenes familiares de mi propio abuelo, que había llegado a este país y trabajado en condiciones prácticamente imposibles, pero que consiguió sobrevivir y sentó los cimientos de todo cuanto soy en la actualidad. Aquélla era la ética de trabajo que Brad deseaba inspirar en sus empleados, y la historia perfecta con la que ilustrarla, ya que la mayoría de ellos se identificarían con aquellas imágenes al igual que me había sucedido a mí: exactamente lo que intentaba conseguir.

Aun relativamente reacio a la autorrevelación, y con una sana dosis de escepticismo acerca de si daría o no resultado, incluyó la historia de su abuelo en el discurso. Al día siguiente del evento, me llamó por teléfono y supe desde el primer instante, por la excitación de su voz, que había sido un éxito. Dijo que jamás había conseguido una respuesta como aquélla en ninguno de sus discursos. La gente se acercaba a él, le estrechaban la mano y le contaban anécdotas relacionadas con sus abuelos para demostrarle la medida en la que estaban dispuestos a seguir a su lado. ¡Misión cumplida!

Busca oportunidades para humanizar el mensaje, ¡sí, incluso en un entorno empresarial!, y llegarás hasta lo más profundo de los sentimientos emocionales de tus oyentes, motivándolos a ayudarte a alcanzar tus objetivos de formas que nunca antes habías experimentado.

Algunas personas creen que humanizar el mensaje equivale a abandonar su zona de confort y convertirse en alguien que no son: susceptibles, delicados, paternalistas, desvalidos, etc.

Por ejemplo, Gerard, al que llamaré así, es un ingeniero de talento que ascendió hasta la cima en la división financiera de su compañía gracias a sus habilidades analíticas y visión para los negocios. De alta y sofisticada formación académica, no toleraba las demostraciones emotivas abiertas ni las bravuconadas en su comportamiento.

Su director me pidió que trabajara con él, al que habían asignado la tarea de hablar en una conferencia combinada del personal de finanzas y ventas de la compañía acerca de la nueva dirección que estaba tomando la misma. Al ser el gurú financiero que había conseguido persuadir a los socios de la necesidad de emprender este nuevo camino, había sido la elección natural para vender la idea a los diferentes entes departamentales.

El problema era que Gerard era un pensador, no un orador. Era un mar de datos, y esperaba que la audiencia se rigiera por idénticos principios. En otras palabras, su enfoque era «autodirigido», no «prójimo-dirigido».

Le sugerí la necesidad de aportar energía y compromiso en su estilo de exposición, pero se mostró en desacuerdo. Dijo que no tenía la menor intención de seguir por ese camino. «Sería un farsante si así lo hiciera», manifestó.

Le aclaré que no hacía falta actuar como un clown para que la audiencia permaneciera sentada y atenta, pero que mostrarse un poco más animado en la exposición marcaría la diferencia a la hora de comunicar satisfactoriamente el mensaje a sus oyentes, lo cuales, a fin de cuentas, iban a ser la clave para el cumplimiento de los objetivos de la compañía.

Hay formas de hablar en público, insistí, que le darían un aire más animado sin sufrir la menor pérdida de dignidad. Una de ellas, muy importante por cierto, era no adoptar el típico enfoque «tómalo o déjalo / así son las cosas en los negocios / la misma talla para todos».

Después de mucho discutir, conseguí que captara la validez de mis argumentos, es decir, hablar «con» la audiencia (desde su perspectiva) en lugar de hacerlo «a» la audiencia (sólo desde la suya propia). Estuvo de acuerdo en parte: si enfocaba el discurso de aquel modo conseguiría mantener implicado a los entes financieros de la firma, pero probablemente perdería la mayoría de los vendedores, «que aprovecharían la menor oportunidad para ir al servicio», aburridos como estaban.

«Bien, desarrollaremos algo que deje huella en los dos bandos», le sugerí. Las World Series de béisbol estaban en plena temporada, de manera que le pedí que pensara en ello.

«No —respondió—. Sólo me interesa el fútbol.»

«Es estupendo que le interese el fútbol —repliqué—. Pero es muy probable que a sus vendedores no, ni tampoco el personal del área de finanzas, al menos no por ahora..., están viendo las World Series.»

Le dije que aquella noche viera el partido en televisión y que intentara descubrir algunas analogías del béisbol para su presentación. La verdad es que no estaba muy seguro de mi plan, pero aceptó el envite.

En nuestra siguiente sesión, la de ensayo general, le pregunté a qué conclusiones había llegado. «¡Genial!», exclamó, añadiendo que también había visto todos los demás partidos. «¿Qué te pareció aquel pitcher? —dijo—. ¡Y aquel juego triple fue fantástico!» Lo había captado a la perfección y lo estaba demostrando.

Abrió la conferencia con una observación relacionada con las

World Series. A la audiencia le encantó. Luego trenzó en el discurso una analogía entre los objetivos de la compañía, los partidos y el rendimiento de aquel pitcher. Todos se sintieron identificados. A medida que los oyentes iban respondiendo, se sintió más lleno de energía y más comprometido, al igual que la audiencia.

Desde luego, fue casi una heroicidad para un individuo tan introvertido. Había degustado el primer sorbo de cómo comprometerse y mostrarse humano sin tener que salir demasiado de su zona de confort.

No lo olvides

Redescubre las habilidades que has olvidado o las cosas que en su día te gustaba hacer y utiliza estos aspectos de ti mismo para añadir autenticidad y poder al mensaje. En una ocasión, por ejemplo, oí a un ingeniero describir una intrincada técnica en términos musicales, estableciendo una analogía entre su aplicación y componer una sinfonía, algo que por cierto había hecho años atrás; la música era su hobby. La audiencia estaba absorta, pues había incidido y canalizado una parte exclusiva de sí mismo y de su creatividad que facilitaba la comprensión de sus oyentes y generaba en ellos un mayor aprecio hacia su persona, su talento y la credibilidad de su mensaje.

(3) Un cierre poderoso, simple y claro

En el teatro, una buena obra dramática siempre concluye con un desenlace contundente, y una buena comedia «siempre les hace reír». Así pues, ni se te ocurra finalizar tu discurso, presentación o entrevista con «¡Uf! ¡Menos mal que todo ha terminado!».

Tras haber guiado paulatinamente a los oyentes hacia tus objetivos específicos durante el discurso o presentación, ahora es el momento de introducirlos en el objetivo general. En el caso de una entrevista de trabajo, tal vez podría ser la concreción de una oferta, y en cualquier otro tipo de situación quizá orientes la exposición en pos de un aumento en el presupuesto (o por qué no, ¡que te acompañen el jueves por la noche a la bolera!). Cualquiera que sea tu objetivo general, tienes dos formas de cerrar la sesión: resumir las ideas principales que has comentado y reiterar el Objetivo Basado en la Audiencia a modo de amigable persuasión, o solicitar una acción concreta sugiriendo incluso el paso siguiente en el proceso.

Sea cual sea la forma de cierre elegida, recuerda que su propósito es aportar a tu discurso, presentación o entrevista un final poderoso y, lo que es más importante, esclarecedor. En otras palabras, no dejes a tus oyentes preguntándose qué deberían hacer con la información que les han facilitado. Deben saber perfectamente lo que deseas que hagan una vez concluida la sesión y que luego lo pongan en práctica. Así pues, de algún modo, terminarás allí donde empezaste: preguntándote: «¿Qué quiero que hagan?» y revisando la respuesta con detenimiento.

Voilà!

Ya sabes cuál es tu objetivo, conoces a tus oyentes y has utilizado ese conocimiento para crear una comunicación basada en la audiencia en la que has limitado el mensaje para hacerlo fácilmente digerible. Asimismo, has diseñado una estructura funcional para tu discurso o comunicación que te ayudará, a ti y al auditorio, a permanecer implicado en su contenido y a no desviarse del objetivo. También sabes cuáles son las especias con las que debes aderezar la comida para convertirla en una delicia de *gourmet*. Resumiendo, has empezado a pensar estratégicamente y has superado el listón más insalvable para alcanzar tu gran objetivo.

A continuación examinaremos las técnicas físicas que también necesitarás para inyectar este factor en tus habilidades como orador.

Capítulo 7

Hacer lo que es natural: las cinco habilidades físicas para conseguirlo

No es una situación natural

Tanto si estás de pie en un podio, sentado en una mesa de conferencia o siendo entrevistado durante un almuerzo en una atmósfera «relajada», hablar delante de un grupo de personas, nutrido o reducido, no es una situación natural. A diferencia de las comunicaciones casuales que compartimos a diario con los amigos, colegas y familiares, que también pueden generar en nosotros un cierto estrés, las situaciones profesionales o formales lo elevan hasta un nivel insospechado.

Ni que decir tiene que sabrás cómo debes hablar y moverte, pero aun así, tan pronto como te sugieren que te levantes y digas unas palabras, oyes tu introducción («Señoras y señores, demos una calurosa bienvenida a Steve S., de la revista *Mainstream*») o tomas asiento para iniciar una decisiva entrevista de trabajo, estás «alerta», y como persona segura de sí misma, sencilla y de trato fácil, las probabilidades de que te invada un sudor frío y un mar de descoordinación son elevadas. Descubres que lo que suele darte buenos resultados para eliminar el estrés en las comunicaciones cotidianas no basta en estas situaciones de exposición pública.

Afortunadamente, tal y como has aprendido en el capítulo anterior, cuando dispones de una secuencia de trabajo bien fundada, en este caso, sólidas técnicas y habilidades para transmitir físicamente el mensaje, puedes aliviar una buena parte de ese estrés, o por lo menos controlar mejor sus implicaciones físicas, mentales y emocionales. Asimismo, estas técnicas y habilidades también te permitirán desarrollar un estilo de comunicación natural con el que reflejar quién eres en realidad.

Base sólida

Perfeccionar el estilo de presentación se asemeja a aprender a tocar un instrumento musical. Independientemente de cuál sea el instrumento, siempre es una buena idea empezar con unos sólidos fundamentos clásicos. Para tocar la guitarra, por ejemplo, primero debes aprender las posiciones de los dedos; luego tienes que practicarlas hasta que no tengas que pensar en ellas durante la ejecución. Cuando estas acciones se integran y engranan entre sí, todo sucede automáticamente. Ahora eres libre de interpretar cualquier composición musical, que emergerá en una forma de expresión exclusiva, más artística que mecánica.

Lo mismo se aplica a hablar en público. Sentar unas bases sólidas aprendiendo algunas técnicas físicas esenciales te ayuda a afrontar las presiones de diversas situaciones de comunicación, permitiéndote más tarde introducir los matices que al final definirán tu auténtico estilo.

El objetivo de este capítulo es enseñarte las cinco técnicas físicas con las que podrás recanalizar la energía para conseguir un estilo de comunicación animado y seductor que se dirija a la audiencia de un modo coherente con tu personalidad, pues se basa en el «tú» real. Si no eres un individuo enérgico, dinámico y motivador en las situaciones de comunicación uno a uno, es muy probable que tampoco lo seas en situaciones de grupo. No intentes serlo. No obstante, quizá a imagen y semejanza de un profesor, te guste contar historias con moraleja. En tal caso, deberías utilizarlo como base de tu estilo de comunicación; es algo connatural en ti.

Trabajé con el vicepresidente de una importante compañía. Es la voz de la organización y realiza presentaciones muy a menudo. En el uno a uno era bastante cálido y conseguía implicar a su interlocutor. Sin embargo, en una conferencia en la que tuve la ocasión de verlo hablar, exhibió una falta absoluta de la calidad y personalidad que solía mostrar en persona. Su estilo de comunicación era asombrosamente monótono, lo cual, según dijo, era típico en estas situaciones.

Le pregunté cuándo se sentía más cómodo y eficaz en sus comunicaciones. Respondió que experimentaba esta sensación cuando ejercía como mentor y *coach* de sus empleados. Así pues, le sugerí que recurriera a esa parte de sí mismo en el próximo discurso.

Trabajó con este concepto, y también con otros consejos adicionales que le di, y en un corto período de tiempo se convirtió en un orador cálido y persuasivo que disfrutaba del proceso de *coaching* y *mentoring* a su audiencia, potenciando su confianza en sí mismo como orador e incrementando su impacto en los oyentes. En la actualidad, cuando habla, lo hace desde la cabeza y el corazón. Quienes le escuchan saben que están en presencia de un astuto hombre de negocios, pero al mismo tiempo hace gala de la calidez y personalidad de un buen profesor. Una excelente combinación.

REFLEXIONA

No intentes desarrollar el estilo de comunicación de quien que crees que deberías ser; arriésgate a ser tú mismo. Serás mucho más eficaz y te sentirás muchísimo más cómodo.

Cuestión de niveles

Cuando descubrimos nuestro auténtico estilo de comunicación, éste perdura en nosotros y se automatiza. Luego basta con introducir pequeños reajustes de «más» o «menos» dependiendo del cuándo y el dónde (dirigirse a una gran audiencia desde un podio, realizar una presentación a un pequeño grupo sentado en una sala de reuniones o siendo entrevistado en televisión como portavoz de una compañía).

Cuando doy un seminario en una sala del tamaño de una clase, mi estilo de comunicación se sitúa a un nivel determinado, pero cuando trabajo en un gran auditorio con un público más nutrido, el lugar me obliga a «elevar» mi estilo potenciando mi proyección vocal, ampliando la gesticulación, etc. Es indispensable para poder llegar a la gente.

Por el contrario, en televisión tengo que minimizarlo todo, ya que las cámaras se encargan de magnificarlo, sobre todo el movimiento y el gesto, que si son excesivamente amplios pueden parecer exagerados.

Cuando domines los principios básicos y seas capaz de reajustarlos a cada emplazamiento, establecerás el escenario ideal para una interpretación individual , la piedra angular de los oradores genuinos.

Como un río

Mucha gente no comprende cómo funciona el cuerpo bajo presión en tales situaciones. Solemos pensar que estamos simplemente excitados o nerviosos, mientras que lo que realmente está ocurriendo es de naturaleza fisiológica: una emanación de energía excesiva fluye a través del organismo a causa de la segregación de adrenalina, una hormona, como consecuencia de nuestro estado emocional. Si carecemos de una forma de liberar y canalizar ese exceso de energía para que fluya de un modo uniforme y natural en una dirección positiva y productiva, puede explosionar en nuestro interior, disparándonos como un obús, o implosionar, creando inhibiciones. Ambos resultados se pueden manifestar en distintas características físicas que impiden conferir la máxima eficacia a la presentación y/o distraer la atención de la audiencia del mensaje que estamos intentando comunicar.

Una explosión de energía excesiva puede desencadenar un movimiento caótico e incontrolado, u otros comportamientos que fijan la atención del auditorio única y exclusivamente en el tic, y no en el tema. Por el contrario, cuando reprimimos aquel flujo de energía y provocamos una implosión, podemos exhibir un tipo diferente de comportamiento físico, como por ejemplo, temblor de las piernas, manos sudorosas, boca seca, tendencia a balancearse adelante y atrás (o de un lado a otro), o hablar en un tono de voz demasiado bajo, lo que también distrae y resulta contraproducente.

La energía es como un río en constante movimiento, incluso en los remansos. Obstrúyelo y el agua seguirá fluyendo. Simplemente cambia la forma en la que se mueve. Si construyes una presa sin un rebosadero para controlar la presión del caudal, las aguas pueden rebasar el cauce y provocar una inundación. En las situaciones de comunicación pública, a medida que se acumula la presión y sientes el flujo creciente de la fuente de energía excesiva, debes ser capaz de controlar físicamente su movimiento para liberarla hacia fuera a través de la comunicación, añadiendo elementos de poder, y no hacia dentro, poniéndola en peligro.

Dado que la energía es un componente clave de un estilo de oratoria satisfactorio, es importante observar cómo los oradores y comunicadores profesionales controlan su emanación y la utilizan para un cauce que aproxima a la audiencia. Por ejemplo, a Barry, uno de mis clientes, le encanta hablar. Espera con ansiedad el momento de salir a escena y empezar el discurso. Pisa fuerte, implica a su audiencia con preguntas, aprovechando cada gramo de su portentosa energía para fomentar una imagen dinámica y generar excitación en el auditorio. Pero en una ocasión, en un publirreportaje televisivo a altas horas de la noche, a pesar de haber hecho gala de su ráfaga de adrenalina habitual, los televidentes cambiaron de canal. Necesitaba manejar mejor su energía y dejar que emanara a partir de un comienzo poderoso, pero controlado, para no abrumar al público.

Para conseguirlo, debes comprender y trabajar las cinco técnicas físicas que mencionaré a continuación. Son las siguientes:

1. *Equilibrio* — Distribuir el peso corporal para mantener una posición natural y cómoda tanto en pie como sentado.
2. *Control de la respiración* — Respirar profundamente para eliminar la ansiedad, aunque no demasiado deprisa para evitar la hiperventilación.
3. *Contacto visual* — Hablar «con» la audiencia, no «a» la audiencia.
4. *Las manos y los gestos* — Animar y conferir energía al mensaje con comodidad.
5. *Poder vocal* — Añadir energía y autoridad al tono de voz natural.

Dominar cada una de estas cinco técnicas te permitirá controlar mejor el flujo de energía excesiva que puede generar ansiedad, y convertirte en un buen comunicador.

Técnica física 1: Equilibrio

Posición

En uno de mis recientes seminarios una de las asistentes se puso en pie para demostrar cómo haría un discurso. Cruzó un pie sobre el otro y empezó a hablar, sin darse cuenta de que había inclinado la parte inferior del cuerpo y «congelado» el tronco al entrelazar rígidamente las manos en la espalda. Me recordó más a una afligida niñita de cinco años al que obligan a ponerse en pie delante de la clase que a la profesional de los negocios que era en realidad.

Al preguntarle por qué había adoptado aquella posición, explicó que estaba acostumbrada a hablar en reuniones de personal y situaciones similares en las que permanecía sentada. Pronunciar un discurso o realizar una presentación en pie le hacía sentir vulnerable, de manera que tal vez se hubiera colocado de aquella forma para sentirse más segura.

Las bailarinas de ballet empiezan aprendiendo las posiciones básicas a partir de las cuales fluirán todos los movimientos y pasos. En ballet, la posición número uno se denomina, como es lógico, primera posición, y consiste en estar de pie con los talones juntos y los pies ligeramente abiertos. Ésta es la base de todas las demás posiciones. Facilita la alineación del cuerpo con el fin de que la bailarina se mueva siempre a partir de su centro de gravedad. Otros tipos de «bailarines», como los golfistas, futbolistas y virtualmente todos los tipos de atletas profesionales también hacen lo mismo: adoptar posiciones iniciales a partir de las cuales fluye todo lo demás.

Pero el *stance* equilibrado o cuadrado, la primera posición, también debe constituir tu punto de partida por otras importantes razones. Enfoca los ojos de la audiencia allí donde deseas que lo haga, por encima de la cintura. Si la gente dirige la mirada a unos pies cruzados y unas piernas inclinadas, no prestarán atención al tronco y, por lo tanto, no conseguirás implicarlos con los ojos para que mantengan el contacto visual. Y como verás un poco más adelante, el contacto visual es fundamental. Por otro lado, si la parte inferior del cuerpo está correctamente alineada, también lo estará el tronco.

En ocasiones, cuando se reajusta la posición, en pie o incluso sentado, al principio la nueva posición no parece cómoda, sino todo lo contrario, difícil y forzada a causa de la incorrecta alineación anterior.

Recuerdo cuando aprendía a jugar al tenis, que sujetaba la raqueta de la forma más cómoda posible, con la muñeca vuelta hacia fuera del mango. De este modo, al levantar el brazo para colocarlo en posición de golpear la bola, el movimiento parecía natural. Sin embargo, un día un amable señor se acercó a mí y me sugirió que reajustara el *grip*, o impactaría deficientemente la pelota. Me aconsejó que mantuviera la raqueta recta frente a mí, como si se tratara de una prolongación del brazo, de manera que quedara perfectamente alineada con ella, sujetándola con la muñeca ligeramente vuelta a la izquierda. «Imagina que estás estrechando la mano a alguien —dijo—. Mantén esta posición siempre que levantes el brazo y podrás golpear la pelota correctamente.»

Seguí su consejo y reajuste el *grip*, pero me pareció difícil. A decir verdad, muy difícil. Pero a fuerza de practicar, me di cuenta de que mis golpes eran cada vez más uniformes y que la pelota superaba la red con más frecuencia que antes. Era la posición correcta. Aunque inicialmente el reajuste inicial me pareció desacertado, no tardé en descubrir su eficacia.

Lo mismo es aplicable a hablar en público y a la comunicación. Cada vez que realizas un reajuste, aunque sólo sea ligeramente, mejoras tu presentación. Tenlo pues en cuenta. Aunque al principio el reajuste parezca inadecuado, incluso absurdo y carente de sentido, al final te permitirá adoptar la mejor posición para comunicarte de una forma más natural y eficaz.

Movimiento

Otra razón por la cual es tan importante la primera posición (*stance* equilibrado) es que facilita el movimiento. Y es muy probable que necesites moverte. Toda esa energía fluyendo poderosamente por el cuerpo puede exigir un «desaguadero», una válvula de escape. Debes ser capaz de controlar ese movimiento que parece natural. Ahí reside precisamente la importancia de la posición.

Bill Clinton, uno de los mejores oradores de nuestro tiempo, controla el movimiento a la perfección al hablar; siempre parece natural. Empieza con una posición equilibrada y la recupera después de cada movimiento. Tal vez recuerdes la campaña de 1992 contra el primer presidente Bush, en el que apostó por el llamado «formato de encuentro público» para los debates presidenciales. Había una razón. Este formato le permitía moverse libremente para poder aproximarse a la audiencia y establecer un contacto visual con los asistentes. Lo hacía partiendo de una posición equilibrada. Luego daba unos cuantos pasos, a derecha o izquierda, y reasumía de nuevo la posición inicial. Daba unos cuantos pasos más, acercándose incluso más a la audiencia, y se detenía nuevamente en posición centrada. Lo hizo en todos los debates cuando era su turno de intervención. Sus movimientos parecían absolutamente naturales.

Si Clinton estaba nervioso durante los debates televisivos de aquel mismo año, nunca lo demostraba. Recuerdo estar observándolo y pensar «Lo hace fácil». Partiendo de una posición equilibrada y recentrando de nuevo su *stance* una y otra vez, controlaba el flujo de energía, manteniendo a la audiencia concentrada invariablemente en su mensaje y no en sus movimientos.

Lo que se debe y no se debe hacer

De pie

LO QUE DEBES HACER

- Busca la primera posición y asienta bien los pies a una distancia equivalente a la amplitud de hombros.
- Evita los traspiés al moverte, adelantando siempre el pie más próximo a la dirección en la que deseas avanzar. Si quieres moverte a la derecha, empieza con la pierna derecha, y si te mueves a la izquierda, haz lo propio con la pierna de este lado.
- Readopta la primera posición y asienta bien los pies cada vez que te detengas.

LO QUE NO DEBES HACER

- No bloquees la energía ni restrinjas el movimiento cruzando los pies o las piernas, inclinándote, cargando el peso corporal en una sola pierna o girando el tobillo.
- No realices movimientos que evoquen el cha-cha-cha, salsa o un rodaje sobre patines.

Sentado

LO QUE DEBES HACER

- Siéntate en la silla inclinado hacia delante y con los pies bien asentados en el suelo, de manera que si alguien, teóricamente, tirara o empujara la silla, te precipitaras automáticamente hacia delante o hacia atrás respectivamente.

LO QUE NO DEBES HACER

- No te balancees ni hagas girar la silla.
- No te arrellanes en la silla.
- No desplaces nunca la silla de un lado a otro.

Técnica física 2: Control de la respiración

Respirar o no respirar

Pregunta: «¿Qué ocurre cuando no respiras?».

Respuesta: «¡Te ahogas y mueres!».

Así de simple.

Lo que sucede cuando nos pueden los nervios al hablar en público es que, incluso sin saberlo, restringimos nuestra capacidad de respirar, lo cual incide en la habilidad de comunicarnos con eficacia. El tórax se tensa, la tráquea se cierra, la respiración se reduce, e incluso algunas veces se torna espasmódica, todo lo cual indica que no estamos inhalando el aire suficiente. Una respiración incorrecta reduce la cantidad de suministro de aire que

No lo olvides

Se requiere muchísima energía física para transmitir un mensaje a una audiencia. Evita las barreras que te obligan a consumir más energía de la necesaria. Un podio, por ejemplo, puede ser una barrera. Si en alguna ocasión tienes que hablar o realizar una presentación desde un podio, mantén un pie más atrás que el otro durante la mayor parte del tiempo; dispondrás de más espacio para gesticular y liberar la energía física. En efecto, sí, es correcto apoyar ligeramente las manos en el podio de vez en cuando mientras hablas, pero sin aferrarte a él. ¡Está diseñado para sostener los apuntes de tu intervención, no a ti!

nos permite controlar la longitud de las frases y limita las opciones que añaden variedad e interés a nuestras comunicaciones. Aprender la técnica de respiración correcta no sólo mejora el sonido de la voz y salvaguarda la salud de nuestro instrumento vocal, sino que también tiene beneficios añadidos, tales como aliviar una buena parte de la tensión nerviosa que experimentamos en situaciones estresantes de exposición pública.

Una respiración adecuada libera tensión

Tal vez recuerdes la película *Broadcast News*, en la que Holly Hunter interpreta el papel de un productora hiperdinámica de una cadena televisiva de informativos en situación de extrema crisis. Durante su ascenso hasta la cima de su carrera, las presiones que ha tenido que afrontar han sido enormes, y una forma de superar el trance consiste en liberar esa presión mediante un método que proporciona al mismo tiempo un alivio cómico para el espectador.

A medida que la tensión aumenta por la mañana del que se prevé que será un día agotador, se sienta en el borde de la cama poniendo la mente en blanco, absolutamente inmóvil, y luego, súbita e inesperadamente, se echa a llorar. No se trata de un llanto apagado, sino de un auténtico estallido emocional que se incrementa paulatinamente en volumen e intensidad. En ese momento deja bruscamente de llorar, se seca los ojos, se pone en pie y se dispone a afrontar la jornada con un inusitado optimismo.

No estoy sugiriendo que te sientes en el borde de la cama y llores antes de una presentación, aunque lo cierto es que no hay de que avergonzarse si se derraman algunas lágrimas de tensión (y dado que todo transcurre en la intimidad de tu casa u oficina, ¿a quién le importa?), sino que las técnicas de respiración pueden ayudar a aliviarla.

¿Quién sabe cuál es el origen de estas reacciones? Unas veces nos sentimos bien; en otras, por el contrario, la presión derivada de una entrevista o discurso es tan intensa que el grado de tensión emocional o física puede alcanzar límites insospechados. Lo que realmente importa es disponer de instrumentos eficaces para recuperar el equilibrio. Si te sientes fuera de control y eres incapaz de pensar con claridad, aprende algunas simples técnicas de respiración; obran maravillas.

Una respiración correcta relaja e impulsa el contenido de una presentación

A medida que la respiración vaya liberando tensión y te sientas cada vez más relajado, te integrarás mucho mejor al entorno —estás «en el momento», como se suele decir en las clases de interpretación—. En otras palabras, dejarás de concentrarte en el pasado (la tensión y su causa) y prestarás atención al presente. Estar en el «aquí» y «ahora» permite pensar con mayor claridad.

En efecto, lo que estás haciendo es propiciar el deshielo de tu cerebro «congelado», accediendo de nuevo y más profundamente a tu «yo» esencial para poder responder con naturalidad. Esto te permite ser más espontáneo mientras intentas establecer una conexión con la audiencia.

Una respiración correcta potencia el instrumento vocal

Cuando los clientes me dicen que se quedan sin aliento en pleno discurso o presentación, sé de inmediato que están respirando deficientemente, interrumpiendo el flujo de aire y debilitando su instrumento vocal.

Una respiración apropiada no sólo elimina la tensión restrictiva, transformándola en energía, sino que también respalda o potencia el aparato vocal.

¿Cómo se puede saber si se está respirando incorrectamente? Veamos un simple test. Pon las manos en la cintura y luego inspira y espira. Si notas que el tórax aumenta y disminuye su volumen al respirar, lo estás haciendo mal. Lo que debes sentir es el abdomen dilatándose y contrayéndose. Si la cintura aumenta de volumen, estás respirando correctamente, es decir, con el diafragma (lo cual, dicho sea de paso, ¡reduce la flaccidez de los músculos del abdomen!; ¡una buena noticia para los amantes del vientre liso!).

Es importante respirar con el diafragma y no con el tórax; de este modo aumenta la cantidad de aire que se puede inspirar y espirar. Cuando se respira con el tórax, el aire necesario para mantener el tono de las palabras queda limitado. Una excelente forma de practicar esta técnica consiste en echarse de espaldas en el suelo, colocar un libro sobre el abdomen e inhalar y exhalar con regularidad para que el libro suba y baje de un modo uniforme. Esta posición fomenta la respiración con el diafragma.

Uno de mis profesores de interpretación me sugería que así lo hiciera durante los monólogos, un ejercicio que, con el tiempo, me permitió pronunciar un mayor número de palabras, con un tono uniforme, sin tener que hablar deprisa o quedarme sin aliento. Puedes practicarlo en casa. Aprenderás a respirar diafragmáticamente de una forma automática mientras hablas en voz alta.

Mi ritual de respiración

Saber cómo y cuándo debes respirar despeja la mente y el cuerpo en todas las fases del proceso del habla, desde días u horas antes del evento hasta justo antes de empezar a hablar y de principio a fin del discurso. Personalmente, utilizo un ritual de respiración que practico en diferentes etapas antes y durante cada aparición en público como una forma de relajación de mi «conversación» interior, lo cual me permite concentrarme en la tarea específica que tengo entre manos como si de un haz de luz se tratara. Veamos en qué consiste:

Antes del evento

- Busca un lugar tranquilo sin nada que pueda distraerte (desconecta el teléfono móvil, la televisión y la radio) y siéntate cómodamente.

- Inspira y espira cinco veces, contando las inhalaciones y exhalaciones de aire para concentrarte en la respiración.
- Presta atención a cualquier síntoma de tensión emocional o física y procura eliminarla.
- Repite la secuencia hasta que la hayas eliminado.

Inmediatamente antes de hablar

- Inspira y espira lentamente mientras mantienes la primera posición, de pie o sentado.
- Establece contacto visual, inspirando y exhalando de nuevo y atrayendo la atención de la audiencia.
- Cuando estés preparado, empieza a hablar.

Durante el discurso

- Verifica regularmente la pauta de respiración.
- Si estás hablando demasiado deprisa o te quedas sin aliento, deja de hablar y haz una pausa.
- Inspira y espira de nuevo lentamente, respirando con el diafragma. Recuperarás tu ritmo natural.
- Reanuda el discurso.

En una ocasión trabajé con un ejecutivo que experimentaba una extraordinaria tensión antes de una presentación. Decía: «Ivy, ¡lo he intentado todo! Practico *jogging* y el boxeo con un saco de arena, pero no consigo tranquilizarme. Soy una persona muy controlada y suelo ingeniármelas satisfactoriamente en cualquier situación para salir airoso. ¡No sé qué hacer!».

Le dije que utilizara mi ritual de respiración para aliviar la ansiedad y me ofrecí a practicarlo con él la mañana en la que iba a realizar una importante presentación.

Se sentía incómodo, atenazado. Nos sentamos y le enseñé a serenar la mente y concentrarse en la respiración. Mientras respiraba lentamente, empezó a sentir una cierta resistencia a la entrada y salida del flujo de aire: rigidez en el tórax. Le pedí que concentrara la respiración en ese punto. Así lo hizo, empezando a respirar muy deprisa. Le dije que no se preocupara. En pocos minutos la incomodidad se disipó, el ritmo respiratorio se desaceleró y recuperó la uniformidad.

Al terminar comentó que se sentía concentrado y lleno de energía. La tensión había desaparecido. Ni siquiera tenía que identificar la fuente de la tensión, sino simplemente inspirar y espirar para serenar la mente y concentrarse en la respiración para aliviar cualquier perturbación, recuperando de nuevo su energía natural.

REFLEXIONA

¡No te desesperes si te resfrías la víspera del evento y tienes dificultades para respirar! Aprendí un truco trabajando en el teatro. Para dilatar las sinus, tomaba un baño de vapor: ponía un cazo de agua a hervir, añadiendo en ocasiones un par de gotas de aceote de eucalipto, me cubría la cabeza con una toalla, me inclinaba sobre el cazo e inhalaba el vapor. De este modo aliviaba la congestión torácica y a veces incluso desaparecía como por arte de magia.

TÉCNICA FÍSICA 3: CONTACTO VISUAL

Potenciar la credibilidad

En una conversación uno a uno, si tu interlocutor no te mira a los ojos, ¿te inspira confianza? Es probable que la mayoría de la gente responda que no.

Mirar directamente a los ojos potencia el contenido de lo que estás diciendo. Es el activo más importante al hablar en público: la credibilidad.

Y es importante porque uno de los problemas derivados del nerviosismo en una situación de exposición pública es la tendencia a evitar mirar a la audiencia. Tal vez le dirijamos una mirada fugaz o simulemos estar mirando cuando en realidad nos perdemos en un punto distante. Tememos lo que podríamos ver: inexpresión en los rostros u otros signos no verbales que interpretamos negativamente, cuando con frecuencia, lo que tomamos como algo personal nada tiene que ver con nosotros.

Veamos un ejemplo. Recuerdo en una ocasión, a principios de mi carrera como oradora profesional, que un hombre sentado al fondo de la sala me miraba con una cara de absoluto abatimiento. Tenía poca experiencia y estaba angustiada, concluyendo de inmediato que era yo la única responsable del malestar de aquel individuo. En el intermedio se acercó a mí y pensé: «¡Estoy perdida!». Pero no fue así. Me estrechó la mano y me comentó cuán interesante le parecía mi presentación. «Si no fuera por este dolor —dijo—. Tengo un terrible dolor de muelas y se me han terminado los analgésicos.»

En otra ocasión, estaba hablando a un grupo de ejecutivas y advertí que una de ellas nunca sonreía. Enseguida pensé que se estaría aburriendo, de manera que reajusté sobre la marcha el estilo de mi presentación para animarla un poco. Fue en vano. Tal vez no estuviera interesada en la exposición.

REFLEXIONA

Desplazando el foco de atención de ti a la audiencia, te conviertes en «prójimo-consciente». Te implicas en la comunicación y las preocupaciones de la audiencia, liberando o apenas advirtiendo la ansiedad inicial. Asimismo, la audiencia también te percibe como un orador sensible a sus necesidades.

Sin embargo, al finalizar, una de sus colegas se acercó a mí y dijo: «No sabe lo contenta que estoy de que Cindy haya venido hoy a su presentación. Lo necesitaba. ¿Sabe? Su madre falleció recientemente y hoy se ha reintegrado a su puesto de trabajo».

No olvides nunca que lo más probable es que «no tenga ninguna relación contigo», sino «con ellos».

REFLEXIONA

Si te concentras en establecer una conexión con una persona cada vez que miras a la audiencia a lo largo del discurso o presentación, no tendrás tanto miedo a dirigirte a un gran grupo y menos inclinado a sentirse abrumado por su tamaño. Será como si estuvieras conversando con una sola persona.

La gente que asiste a un discurso o presentación, o te entrevista, aporta, al igual que tú, sus experiencias y preocupaciones personales y las implicaciones derivadas de las mismas, con la diferencia de que tú las dejas en la puerta para concentrarte en el trabajo y ellos, a menudo, las llevan consigo al entrar en la sala. Así pues, una de tus tareas consiste en conseguir que se aíslen de los problemas personales y que presten atención al mensaje que quieres transmitir. Para ello, nada mejor que mirarlos a los ojos y establecer una línea directa de comunicación. Les situará en el «aquí» y «ahora» y se mostrarán más receptivos.

Asimismo, estableciendo contacto visual con las persona o personas con las que estás hablando, obtienes el *feedback* inmediato que necesitas para ser más eficaz, advirtiendo si, por ejemplo, la audiencia te oye bien; si distingue bien el audiovisual, si lo utilizas, desde las últimas filas; si parece confusa al exponer algún punto de la presentación y que, en consecuencia, podría necesitar un rápido esclarecimiento; si da la sensación de estar incómoda y distraída a causa de la temperatura ambiente (demasiado frío o demasiado calor); o si apenas se mueven en el asiento, lo que podría urgir una aceleración del ritmo en la exposición o reducir el material complementario (audiovisuales, etc.).

En efecto, los oyentes se comunican contigo de una forma no verbal, enviando valiosas señales que sólo se pueden captar manteniendo el contacto visual, lo cual, además, potencia la credibilidad y la eficacia en la comunicación del mensaje.

Fomenta la naturalidad

El contacto visual contribuye a que tu estilo de comunicación sea más natural, implicando a la audiencia en un diálogo. Una conversación unilateral hace que los destinatarios tengan la impresión de que se están dirigiendo «a» ellos en lugar de hablar «con» ellos. Conversas contigo mismo y no te importa el tipo de respuesta que puedas obtener; te limitas a decir lo que has venido a decir. Esto interrumpe la comunicación entre tú y el oyente, dándole a entender que uno de los está de más: él.

Potencia el nivel de energía

Todas las audiencias son diferentes. Si las observas y escuchas detenidamente, los signos no verbales te indicarán cómo y cuándo debes modificar tu nivel de energía.

En los grandes auditóriums, el intercambio de energía con la audiencia es palpable. En ocasiones, cuando estás cansado, enfermo o no te sientes preparado para asumir la tarea de dirigirte a un grupo, este intercambio te puede proporcionar el impulso necesario para elevar tu nivel de energía y equilibrarlo con el de la audiencia.

No me malinterpretes. Hay veces en que toda la energía parece estar fluyendo unidireccionalmente: de ti. En tal caso habrá que esforzarse en implicar a los oyentes e incrementar su nivel de energía. Una buena forma de hacerlo es mantener el contacto visual.

Lo que se debe y no se debe hacer

LO QUE SE DEBE HACER

- Mirar a los oyentes.
- Entablar una conversación uno a uno.
- «Comentar» cada punto de la presentación «con una persona», y luego pasar a la siguiente.
- Tener las luces encendidas si no puedes ver todos los rostros.
- Bajar del podio o acercarte a la audiencia, si es necesario, para establecer contacto visual.

LO QUE NO SE DEBE HACER

- Centrar la mirada en un lugar (por ejemplo, la pared posterior).
- Mantener un combate de miradas con un oyente.
- Incomodar a alguien mirándolo durante demasiado tiempo.
- Visualizar la audiencia «desnuda», como a menudo solemos decir: ¡puedes reír, llorar o incluso correr por la sala!

Dirige la mirada a una persona entre un mar de rostros, y cuando tengas la sensación de estar conectando con ella, de que se está produciendo un intercambio positivo de energía entre ambos, dirígela a la persona siguiente, estableciendo el contacto visual hasta que se produzca el mismo intercambio. Siempre da resultado.

Todo integrado

No hace mucho, trabajé con un hombre que técnicamente era un orador muy eficaz. Tenía una voz resonante y se expresaba con fluidez, sus pensamientos estaban bien organizados y se sentía seguro del tema que estaba exponiendo. Magnífico, ¿verdad? Pues no exactamente. Había un problema. La audiencia tenía la impresión de que los estaba tratando con condescendencia.

No hacía el menor intento de conectar con sus oyentes. En realidad, ni siquiera los miraba. Paseaba por el estrado y sólo ocasionalmente les dirigía una mirada, pero sin establecer nunca contacto visual alguno.

Le sugerí que para solucionar el problema debería intentar mirarlos directamente mientras hablaba.

Le dije que mirara a una persona, que desarrollara y completara una idea. A continuación debería desplazar la mirada a otra y abordar el punto siguiente. Después a la siguiente, y así sucesivamente, abarcando el mayor número posible de oyentes, sin seguir ningún orden en particular, hasta finalizar el discurso o presentación. Los grandes comunicadores te hacen sentir como si te estuvieran hablando personalmente, añadí, y lo hacen mediante el contacto visual.

Hizo lo que le había sugerido. Al principio se sintió incómodo (más tarde me confesó que le hacía sentir tímido y vulnerable), pero poco a poco fue relajándose y empezó a sonreír a la audiencia, su estilo de comunicación adquirió un aire más conversacional, más natural. Su credibilidad se incrementó exponencialmente. El cambio en su estilo físico de presentación había sido mínimo, ¡pero menuda diferencia! Ahora los oyentes tenían la sensación de formar parte de la conversación.

TÉCNICA FÍSICA 4: LAS MANOS Y LOS GESTOS

«¿Qué hago con las manos?»

Me asombra comprobar cómo responde a esta pregunta la mayoría de la gente. Cuando pregunto por qué, dicen cosas como «Mi profesor me decía que nunca debía mover las manos al hablar, que las tuviera siempre en el costado. Soy italiano y estoy acostumbrado a gesticular. ¡Me resulta dificilísimo!».

Es ridículo indicarle a alguien que no debe mover las manos cuando habla. Si lo haces espontáneamente en una conversación informal, es igualmente natural hacerlo al hablar en público.

Lo importante no es si hay que utilizar o no las manos, al igual que las demás técnicas físicas que hemos examinado en este capítulo, sino cómo utilizarlas. Es aceptable hacer algo con ellas en una situación de exposición pública, como por ejemplo, meterlas en el bolsillo, apoyarlas en el podio o gesticular en el aire, aunque no todo el tiempo. La acción de las manos y los gestos puede contribuir a la mejor comprensión del mensaje por parte de los oyentes. En cualquier caso, la moderación es la clave.

Lo que se debe y no se debe hacer

LO QUE SE DEBE HACER

- Mantener las manos por encima de la cintura.
- Apoyar las manos.
- Gesticular lo necesario para potenciar un argumento.
- Variar los movimientos.
- No sólo decir, sino también expresar (con las manos).

LO QUE NO SE DEBE HACER

- Repetir constantemente el mismo gesto.
- Abusar del movimiento de las manos, aunque sea variado.
- Tener las manos en los bolsillos. Si lo haces de vez en cuando, no alteres las manos; distrae muchísimo.
- Cargar el peso en el podio.
- Hacer movimientos extraños, incontrolados o exentos de significado.

Fácil como 1-2-3

Cuando nos ponemos nerviosos al hablar, solemos utilizar las manos de una forma que distrae a la audiencia, proyectando incluso en algunos casos una imagen diferente de la deseada.

Por ejemplo, una directiva senior con la que trabajé tenía el hábito de hacer círculos con las manos cuando le podía el nerviosismo. Llevaba las uñas largas y pintadas de rojo, con lo cual, sus manos atraían aún más la atención. El movimiento distraía y desconcertaba tanto que sin darse cuenta proyectaba una imagen de principiante, no la de una ejecutiva experimentada que fuera un fiel reflejo del cargo que ocupaba en la compañía.

Sobre la base de lo que antecede, examinemos una forma fácil pero eficaz de recordar lo que hay que hacer con las manos al hablar o comunicarse en público:

1. Mantén las manos por encima de la cintura. Si lo haces por debajo y estás librando un feroz combate contra el nerviosismo, te resultará muy difícil elevarlas aunque sólo sea un centímetro; cuando se está nervioso, se tiende a limitar los movimientos. Si están por encima del nivel del talle, la distancia de elevación será más corta y el movimiento más amplio y libre. (Ni que decir tiene que ocasionalmente puedes dejarlas colgando a los lados, pero procurando elevarlas de nuevo para recuperar tu estilo natural.)

2. Al igual que con los pies, determina una primera posición cómoda para apoyar las manos entre movimientos, como por ejemplo, reposando ligeramente una mano sobre la otra, juntándolas en las puntas de los dedos y de vez en cuando dejándolas caer a los lados. Los tres métodos dan buenos resultados.

3. Deja que las manos acompañen a tus palabras con naturalidad, pero variando siempre los movimientos. No repitas

continuamente un mismo movimiento, como por ejemplo señalar con el dedo índice. Como dice Ron Arden, uno de los oradores y *coaches* profesionales más respetados en el ámbito de los negocios, «El peor enemigo del orador es la repetición».

TÉCNICA FÍSICA 5: PODER VOCAL

Añade PAR a tu instrumento vocal

Imagina que ocupas tu lugar en el podio y que, a pesar de haber practicado las técnicas físicas en las cuatro áreas anteriores, tu voz empieza a alterarse, emitiendo un sonido casi inaudible que apenas reconoces como tu propia voz. Y continúas hablando con este hilillo de voz tan monótono que arrulla y finalmente duerme a los oyentes.

Es uno de los síntomas más comunes de energía nerviosa reprimida, que afecta no sólo al tono de voz, sino que también influye decisivamente en la imagen que proyectamos a la audiencia. La descorazonadora expresión de confusión que adviertes en el rostro de los oyentes si son incapaces de oírte no hace sino aumentar el estado de ansiedad. Todos los sistemas fallan.

De ahí que sea esencial trabajar esta última técnica física. Una vez preparado el discurso o presentación y estructurado los movimientos corporales y el estilo de exposición, ¡no lo eches todo a perder a causa de un tono de voz demasiado débil!

Veamos a continuación algunas soluciones eficaces para evitar esta situación añadiendo PAR (Proyección, articulación y Ritmo) a tu instrumento vocal.

Proyección

La proyección de la voz es un ingrediente clave en la liberación de la energía nerviosa reprimida que alivia la tensión de inmediato. Es útil no sólo para potenciar la voz, sino también para facilitar una válvula de escape a la energía acumulada. Lo único que tienes que hacer es un esfuerzo para elevar el volumen de la voz hasta un nivel en el que te sientas cómodo. De este modo, la audiencia se implicará más fácilmente en la disertación.

No necesitas tomar lecciones de voz o dicción ni tener la de un actor o presentador profesional para que todo el mundo te oiga. Basta recordar que los oyentes necesitan oírte, decidir cuál es el volumen con el que vas a conseguirlo, y luego mantenerlo durante el discurso.

En las grandes salas, muy especialmente, a menos que dispongas de un micrófono, deberás proyectar la voz con la fuerza necesaria para que todos te oigan. La forma más fácil de hacerlo es elegir a una de las personas de la audiencia que ocupe un asiento en la última fila y empieza a hablar para ella. Ajusta el volumen vocal para que te oiga sin dificultades y mantenlo mientras te mueves por la sala. Puedes utilizar esta técnica en una sala de conferencia incluso sentado. Tal vez pienses que por el hecho de estar sentado puedes hablar en un tono de conversación y no con la proyección vocal realmente necesaria. Sin embargo, y tal y como ocurre de pie, si estás nervioso, tenderás a hablar con una excesiva suavidad. Pues bien, la misma regla se aplica aquí. Elige a la persona que esté más alejada de ti en la mesa de reuniones y empieza dirigiéndote a ella. Al hacer un esfuerzo para elevar el tono de voz, automáticamente liberas tensión nerviosa y te relajas.

Al principio, muchos asistentes a mis seminarios prácticos tienen la sensación de que cualquier reajuste en el volumen de la voz, por mínimo que éste sea, equivale a gritar. Pero cuando pido a los demás que lo evalúen, en el 99% de los casos responden que el orador sigue hablando demasiado bajo. La posibilidad de estar gritando es una mera apreciación personal.

Otras personas con las que he trabajado no proyectan correctamente la voz porque, por uno u otro motivo, les disgusta su sonido. Anne, por ejemplo, es una extraordinaria profesional de los negocios, muy respetada en su compañía. Es impecable analizando cuestiones de empresa, formulando estrategias eficaces para abordarlas y dirigiendo al personal. Pero cuando habla en público, lo hace muy bajito, tanto que incluso transmite timidez en lugar de confianza y autoridad.

Mientras trabajábamos en su proyección vocal, se sentía cada vez más incómoda. Finalmente, me reveló su secreto. Cuando proyectaba la voz al nivel que le había dicho que era suficiente para la sala en cuestión, le recordaba a su madre, que siempre se mostraba negativa y crítica, y hablaba casi a gritos. El problema no era que careciera de la capacidad necesaria para proyectar su voz, sino que quería evitar a toda costa parecerse a su madre, aunque ello incluso le perjudicara profesionalmente.

Le recordé que nadie, incluida yo, sabía cómo era su madre, de manera que era imposible establecer una comparación. Sólo ella podía hacerlo. Era esencial que hiciera un esfuerzo para que todos pudieran oírla, aunque sólo fuera para no empañar su imagen. Cuando por fin descubrió la razón de su *sotto voce*, se mostró más objetiva, y muy pronto, con la práctica y el *feedback* positivo de quienes participaban en el taller de trabajo, aprendió a proyectar la voz bastante bien a pesar de aquella asociación negativa. Desde luego, esta solución no abordó la cuestión subyacente de por qué le disgustaba el sonido de su voz al elevar el volumen, pero sí otra fundamental: que la oyeran al hablar, que a fin de cuentas era lo que importaba en aquel momento.

Articulación

No basta con que la audiencia te oiga; también tiene que entender lo que dices. Muy a menudo, cuando proyectamos la voz, incurrimos en los mismos malos hábitos de una conversación casual (nos «tragamos» consonantes o palabras enteras). Tal vez sea debido a que, en plena era de la información, una buena parte de la comunicación diaria no se realiza cara a cara, sino electrónicamente, a través de fax, e-mail o mensajes instantáneos. Nos hemos oxidado en el arte de la articulación. Dando por sentado que sabemos hacerlo.

Conseguir que te entiendan al hablar en público requiere práctica, sobre todo si tienes un pronunciado acento regional, étnico o extranjero. Para ello, siempre recomiendo leer en voz alta. Durante la rutina diaria, aprovecha la menor oportunidad para acostumbrarte a modelar las palabras con los labios y la lengua. Cuando tengas que leer algo (memorando, e-mail, artículo de revista, etc.), hazlo en voz alta, pero siempre en la intimidad de tu hogar o la oficina; ¡de lo contrario te arriesgas a que tomen por loco!

Si tienes hijos o sobrinos, léeles cuentos; es una práctica excelente de articulación. Bastan unos pocos minutos al día y tu capacidad de articulación aumentará considerablemente.

Ritmo

El último error, y probablemente el más habitual, que comete la gente cuando se comunica en público, y muy en especial si está nervioso, es hablar demasiado deprisa o excesivamente lento.

Hablar demasiado deprisa da la impresión de que estés ansioso de que el suplicio termine cuanto antes, lo cual no es, desde luego, la mejor manera de ganarse a la audiencia. Ralentiza un poco el ritmo y haz una pausa de vez en cuando, aunque sólo sea para llenar de aire los pulmones, pero procura que la ralentización y las pausas no sean excesivas; parecerías afectado y poco natural (esto es lo que le ocurre a Al Gore).

«De acuerdo, Ivy —dirás—. He captado la idea: ralentizar pero no demasiado ni demasiado poco, y hacer una pausa ocasional. Pero ¿qué debo entender por "demasiado", "demasiado poco" y "ocasional"? ¿Existe alguna regla general?»

En realidad no. No es algo así como un curso de mecanografía que te permite alcanzar un número determinado de palabras por minuto, o correr una maratón, para la que te entrenas con el fin de poder respirar muchas veces por minuto y poder así cruzar la línea de meta sin caer exhausto. Como ya he dicho a lo largo de todo el libro, al hablar en público lo que realmente da resultado es ser natural.

Para conseguir «tu» ritmo ideal, primero debes acostumbrarte a oír el sonido de tu voz. Sí, quizá te parezca ridículo. («¡Conozco perfectamente el sonido de mi voz! ¡Llevo oyéndola durante años!»), pero lo cierto es que tenemos una percepción muy diferente de cómo suena, o de cuán deprisa o lento hablamos, de la de los demás.

Veamos lo que puedes hacer para identificar tu ritmo al hablar. Coge un CD o radiocasete y graba un artículo de revista o periódico, experimentando con las inflexiones. Luego reproduce la grabación y escucha con atención. Familiarízate con los ritmos de tu voz, su velocidad e intervalos naturales entre inspiración y espiración. A continuación, repite el ejercicio, realizando los reajustes necesarios hasta que la voz que oigas sea la que siempre habías «pensado» que oirías, una voz cuya proyección, articulación y ritmo sean acordes a tu personalidad y naturalidad.

Ver es creer

Es importante evaluar las técnicas físicas al empezar y durante el desarrollo de las mismas para poder realizar los reajustes necesarios. Una forma de hacerlo es pedir a un amigo o familiar que asista a tus sesiones prácticas y te dé su opinión. En cualquier caso, si decides hacerlo, elige a alguien de carácter constructivo, no negativo. Por constructivo no quiero decir alguien que esté tan preocupado por no herir tus sentimientos que sólo te diga lo maravilloso que eres, sino una persona deseosa de compartir contigo tus progresos, pero que sea objetiva en su opinión.

En el extremo opuesto, tampoco debes elegir a alguien que sólo preste atención a lo que haces «mal». Muchos clientes me han hablado de profesores cuya metodología consistía en acentuar lo negativo y omitir lo positivo. Esto no es ser objetivo, y por otro lado contradice uno de los objetivos primarios del *coaching* y la práctica de la oratoria: desarrollar la seguridad y confianza en uno mismo. Si todo cuanto oye el orador es lo que está haciendo mal, probablemente no progresará.

Una segunda forma de evaluar las técnicas físicas consiste en verificar tus propios progresos. Es la mejor, ya que, según mi experiencia, somos nuestros críticos más mordaces. Una sugerencia: grábate en vídeo.

La cámara de vídeo es un instrumento muy valioso para valorar una actuación antes y después, y de conseguir una mejora constante. Ver es creer. Por supuesto que ver también puede resultar algo desconcertante, por lo menos al principio; todos nos mostramos un poco tímidos ante una cámara (excepto quizá Madonna). Recuerdo la primera vez que me vi en vídeo. Tuve que salir de la habitación. Pero poco a poco me acostumbré a ello y he utilizado asiduamente la cámara en mis talleres de trabajo y para mi propio desarrollo como oradora profesional.

Coloca la cámara de vídeo sobre un trípode y usa el mando a distancia para la grabación si prefieres disfrutar de una plena intimidad, o confía en un buen amigo o familiar para que pulse el botón «REC» y enmarque la imagen mientras hablas y te mueves de un lado a otro.

Redacta un discurso, presentación o entrevista fingida (para que la sesión práctica se ajuste más a la realidad, pide a un amigo que actúe a modo de entrevistador para no tener que hablar contigo mismo). Inicialmente, cuando verifiques tus progresos, habrá momentos en los que pensarás que lo estás haciendo peor de lo que realmente es, y otros en que el resultado supera lo previsto.

Trabajé con una cliente que insistía en que era una persona

positiva, aunque el *feedback* de sus colegas después de cada presentación era invariablemente opuesto. Tuvo la ocasión de visionar una grabación en vídeo de una de sus recientes intervenciones. La vimos juntas. Fue la primera vez que se veía tal y como la veían los demás en una «situación de interpretación», y mientras miraba la pantalla, advertí que empezaba a incomodarse y que una expresión de desánimo asomaba a su rostro.

Le pedí que me contara qué le gustaba de sí misma en la grabación. «Nada», dijo. Le recordé que el contenido del discurso era potente y estaba bien organizado, destacando otros atributos positivos que poseía. Luego le pedí que me explicara qué era lo que le hacía sentir a disgusto.

«Que nunca sonrío —respondió—. Siempre creí que lo hacía.» Criticó su postura y observó que daba una imagen severa y dominante que nunca había imaginado, desde luego no la que quería que captaran sus colegas. «¡Tendré que hacer muchos cambios!», exclamó.

La cámara de vídeo es un instrumento excelente para realizar este ejercicio.

Veamos ahora algunos indicadores que te permitirán identificar tus puntos fuertes y tus puntos débiles antes de una presentación y luego controlar tus progresos.

DIRECTRICES PARA EVALUAR LAS TÉCNICAS FÍSICAS

- Presta atención, una por una, a las cinco técnicas físicas (equilibrio, control de la respiración, contacto visual, posición de las manos y gesticulación, y poder vocal).
- Evalúa la parte positiva de la ecuación en cada área. Busca un par de cosas que te gustan en relación con lo que estás viendo. Dispondrás de un marco de referencia con el que identificar lo que no es natural, genuino o que distrae, y también su causa.

- No te pongas a la defensiva ni seas excesivamente autocrítico. ¡No hace falta que seas un Tony Robins o que parezcas una estrella de cine! El objetivo consiste en sopesar lo que ocurre en cada área técnica para poder confeccionar un plan que te permita introducir satisfactoriamente los cambios necesarios.
- Reúne toda la munición que necesitas para que tu estilo de comunicación pase al nivel siguiente. Cuando aísles cada área técnica, formúlate las preguntas siguientes acerca de lo que ves, respondiendo «por qué sí» o «por qué no».

1. «¿Proyecto una imagen natural y de seguridad en mí mismo?»
2. «¿Reconozco a la persona que estoy viendo?» (por ejemplo, tal vez creas que eres dinámico y expresivo, pero la persona que ves en pantalla es estática y apenas audible).
3. «¿Refuerza las palabras mi comportamiento?» (por ejemplo, estás diciendo «Es un verdadero placer estar hoy aquí», pero cuanto dices indica algo radicalmente distinto: «¡Socorro, Estoy perdido!»).
4. «Si la persona que estoy viendo no fuera yo, ¿creería en sus palabras?».
5. «Si la persona que estoy viendo no fuera yo, ¿permanecería atento durante más de un minuto?».
6. «¿Me distrae mi comportamiento?» (por ejemplo, te mueves tanto de un lado a otro, que pareces un patito de feria; reajusta tu comportamiento, ya que si te distrae a ti, es muy probable que haga lo propio con los oyentes).

- ¡Guarda la cinta! No grabes la siguiente sesión práctica sobre la grabación anterior ni los episodios de tu serie televisiva favorita. Vas a necesitarlo tanto para saber en qué aspectos deberás incidir como a modo de reafirmación positiva a medida que vayas progresando.

- Trabaja una o dos técnicas al mismo tiempo. Es probable que mientras estás practicando la proyección vocal, la gesticulación mejore automáticamente.
- Presta una constante atención a tu estado emocional y a la respuesta de los demás ante tu nuevo estilo de comunicación.
- Ten paciencia. No es una cuestión de vida o muerte. Lo que al principio parecía tan difícil y aterrador se simplificará poco a poco.

Gente común–Impacto extraordinario

¿Has oído alguna vez a un orador y de pronto te has dado cuenta de que estabas procesando sus palabras a un nivel más profundo y significativo que te obliga a asentir y comprender?

Las razones de este fenómeno son múltiples. Puede ocurrir a causa de la naturaleza del propio sujeto y el interés que despierta en ti; fruto de la habilidad del orador en la conjugación de ideas y modelación del contenido de su mensaje; o también a raíz de su actitud y presencia física, es decir, que por la forma de utilizar el lenguaje corporal y el instrumento vocal, adviertes en el una persona real. Tienes la sensación de que está cómodo en su propia piel, transmitiendo sinceramente la esencia de su «yo». Dicho de otro modo, la persona es auténtica. Todos estos elementos hacen que te sientas en una profunda sintonía con lo que está diciendo.

Recuerdo a un orador que se estaba dirigiendo a un grupo de hombres de negocios en una conferencia tecnológica. La audiencia estaba mesmerizada. Se colocó en el centro del estrado, en una gran plataforma, y contó una historia de supervivencia en un campo de concentración durante la segunda guerra mundial. Hablaba con sencillez y sólo se movía de un lado a otro muy de vez en cuando, pero durante la mayor parte del discurso permaneció inmóvil. Tenía la impresión de que me hablaba personalmente a mí.

En otra ocasión, conocí a un conferenciante que subió al podio en un arranque de energía. Se desplazó a un lado, miró a alguien al azar en la primera fila y le formuló una pregunta inesperada, provocando la carcajada del público ante la reacción del sujeto. Luego caminó hasta el otro lado del escenario y sorprendió con otra pregunta a otro asistente. Una nueva carcajada. Acto seguido, empezó el discurso, que se prolongó durante cuarenta y cinco minutos electrizantes en los que las risas eran constantes y la atención absoluta, preguntándonos qué diría o haría a continuación. Su energía era contagiosa, casi «infecciosa» por así decirlo. Era extremadamente físico en su estilo de presentación: blandía los puños en el aire, golpeaba el podio, incluso se tumbó una vez en el suelo para demostrar uno lo los puntos del discurso. Tal era su técnica en el uso de la energía y de su cuerpo que hizo que nos sintiéramos literalmente abrumados por sus palabras. Sabía exactamente cómo conseguir el efecto deseado.

Cuando hablé con él al término de la conferencia, descubrí que si bien fuera del escenario no era tan arrollador, en realidad era la misma persona, animada y con humor, capaz de conjugar estos aspectos en escena y de realzarlos con intuición.

Aunque el estilo de comunicación de estos dos oradores era radicalmente diferente, ambos resultaban igualmente eficaces, pues eran genuinos. Eran honestos consigo mismo y proyectaban una imagen de autenticidad.

Esto es precisamente lo que estás intentando conseguir. Cuando utilices las cinco técnicas físicas descritas en este capítulo, tendrás la base necesaria para recanalizar tu energía y estructurar un estilo de comunicación animado, persuasivo y auténtico a tenor de tu propia forma de ser. En otras palabras, un estilo que hable a la audiencia tal y como se debería comunicar tu «yo» real.

Capítulo 8

No se puede bailar sin conocer los pasos: el poder del ensayo

Trucos y técnicas para el ensayo

En el teatro, el ensayo constituye una parte integral del proceso de interpretación. Se ensaya para aprender el texto y descubrir el carácter del personaje que vas a representar. Luego, en el escenario, delante del público («la magia del público»), si te has preparado bien, tienes la oportunidad de establecer una estrecha relación entre tú, el personaje que interpretas y la audiencia.

Cuando empecé a ayudar a hombres de negocios y otros profesionales a hablar sin miedo, caí en la cuenta de que saber cómo había que ensayar, cuándo había que hacerlo y las alternativas de ensayo, era, al igual que en el teatro, muy importante para crear un discurso, presentación o entrevista satisfactoria.

El ensayo es la pieza final del puzle, la pieza que no sólo te proporciona el impulso final de confianza que necesitas para ser capaz de comunicarte con persuasión, sino también la que te permite ser espontáneo para «gozar» hablando en público. Es la causa que desencadena un estilo natural y una plena autenticidad.

Hay tres tipos de ensayo:

1. Ensayo verbal.
2. Ensayo físico-técnico.
3. Ensayo mental.

Dependiendo de tu perfil de nerviosismo, necesitarás más tiempo en un tipo de ensayo que en otro. Así, por ejemplo, a los Improvisadores, que apenas ensayan y lo dejan todo a la suerte, pero que son creativos, intuitivos y seguros de sí mismos por naturaleza, deberán dedicar más tiempo al ensayo verbal y al físico-técnico para no desviarse del hilo del discurso y confundir a la audiencia, mientras que los perfiles más extremos, como los Evitadores, necesitarán el mayor ensayo posible de los tres tipos. En cualquier caso, para todos en general, siempre será necesaria una «mínima cantidad» de ensayo para conseguir un resultado satisfactorio en una situación de exposición pública, puesto que a fin de cuentas, la práctica es lo que hace que la comunicación sea persuasiva y eficaz. Tanto si eres un Evitador como un Anticipador, Adrenalizador o Improvisador, una vez desarrollado tu propio ritual de ensayo, se convertirá en algo tan automático como la respiración, una parte integral de tu forma de trabajo.

ENSAYO VERBAL

Ensayar en voz alta

Tanto si estás haciendo un discurso o una presentación como si estás preparando una entrevista, ensaya en voz alta.

Mucha gente cree que basta leer en silencio el texto del discurso, los apuntes de la presentación o las notas que han recopilado para la entrevista. El problema es que si lo haces así, siempre te «oirás» magníficamente. Las palabras se seleccionan con cuidado y se articulan correctamente, el flujo de ideas es suave y la «interpretación» es impecable. Sin embargo, cuando llega el momento y tienes que empezar a hablar, todo cambia: las ideas se entrecruzan, das una imagen menos segura de ti mismo, tartamudeas y llenas espacios con «mmm» y «eee» que distraen a la audiencia. ¿El resultado? Ansiedad.

Asimismo, al pronunciar en voz alta las palabras o ideas que vas a comunicar, percibes con claridad el sonido de esas palabras tal y como las oirá el público, y al oírlas, tal vez adviertas que no es así cómo desearías expresar una idea determinada y busques una alternativa más esclarecedora y más persuasiva. En realidad, puedes encontrar múltiples alternativas que presenten oportunidades para mejorar la presentación en su conjunto, todo lo cual redundará en una respuesta más positiva de la audiencia.

Modificar sobre la marcha

La modificación del material para perfeccionar el mensaje es un proceso continuado. Mientras ensayas en voz alta puedes descubrir que el discurso o presentación contiene demasiada información, en cuyo caso podrías reducirla, sintetizarla o incluso sustituirla totalmente, y durante el ensayo físico-técnico podrías llegar a la conclusión de que es necesario remodificarla de nuevo.

En la mayoría de las situaciones de exposición pública, trabajar con topos (•) o guiones (—) da excelentes resultados. Ve anotando guión a guión los puntos que creas que deberás modificar. No obstante, en los discursos o presentaciones de gran envergadura, y en especial si eres Improvisador, recomiendo al principio escribir la información con todo lujo de detalles para disponer de un contenido más sustancial, y luego sintetizarlo con topos o guiones, introduciendo más cambios, si lo crees oportuno, a medida que vayas practicando los demás tipos de ensayo.

Memorizar o no memorizar

En el teatro, hay que memorizar el texto del personaje que debes interpretar, y no sólo el texto, sino también los movimientos en el escenario. Dado que el diálogo es esencial en el desarrollo de la obra, es imprescindible saberlo de memoria y recitarlo tal cual lo escribió el autor. Se han dado casos de actores que han sido despedidos de una compañía por haber modificado ligerísimamente el texto (una palabra, por ejemplo). A menudo, las palabras constituyen el «pie» de otro actor. Supongamos que debes decir «¡Ave César! ¡Aquí está la cena!». Si no lo dices, ¡César no cena!

Hablar en público es un tipo diferente de situación interpretativa. Aquí, lo que cuenta no es la memoria, sino estar familiarizado con lo que vas a decir, evitando dar una imagen anquilosada y poco natural, o como se suele decir en mi profesión, una «cabeza parlante». Memorizar cada palabra, frase, idea o concepto irradia rigidez y falta de soltura.

Cindy, una de mis clientes y una excelente oradora informal, constituye un buen ejemplo. Su estilo es suelto, es apasionada y el impacto de sus palabras es rotundo. Pero en los discursos o presentaciones formales, se convierte en una persona diferente. Preocupada por la posibilidad de olvidar algún punto, memoriza todo el texto, palabra por palabra, perdiendo su personalidad durante el proceso, además de su carisma y energía, fundamentales para comunicar un mensaje eficaz.

Cuando te preparas para hablar en público, la naturaleza repetitiva del proceso de ensayo te permite recordar lo que debes decir y por qué lo estás diciendo. Dicho de otro modo, eliminas tensión, te relajas. Si eres un Anticipador como Cindy, que experimenta la necesidad de memorizarlo todo para sentirse segura, mi consejo es memorizar la apertura, el cierre y las transiciones. Si lo haces así, no vacilarás y no perderás el estilo que confiere sustancia a tu mensaje.

En una entrevista de trabajo o de ventas, es mucho más impor-

REFLEXIONA

Si olvidas una parte de la presentación o una línea de un discurso, no te preocupes. Sólo tú sabes lo que ibas a decir.

tante familiarizarse con las ideas clave que memorizar un guión palabra por palabra. El ensayo verbal te ayudará a conseguirlo. Para tener la seguridad de no olvidar ni omitir nada, te daré algunos consejos acerca de los ensayos verbales que utilicé en la preparación de una serie de reuniones en las que tenía que vender mis servicios como *coach* de oratoria en público a importantes clientes potenciales. Cada uno de ellos era diferente, de manera que había mucho que aprender y recordar acerca de cada cual para estructurar el mensaje a tenor de sus características personales.

- Escribía las preguntas esenciales que podía formular cada cliente en una ficha de archivo, y luego añadía mis respuestas. Utilizaba topos o guiones indistintamente.
- Llevaba siempre conmigo las fichas y sacaba una al azar mientras iba en taxi, hacía la compra o cualquier otra actividad relativamente rutinaria.
- Seleccionaba una pregunta de la ficha, la leía en voz baja y respondía en voz alta.

No lo olvides

Si vas a leer un discurso escrito, cuanto más ensayes para familiarizarte con el texto, menos veces tendrás que mirar el papel, manteniendo un contacto visual más prolongado con la audiencia, un ingrediente muy importante para conectar con los oyentes y comunicar el mensaje (véase capítulo 7).

Así proseguí con mi ensayo verbal durante la semana anterior a las reuniones hasta ser capaz de estar familiarizada con la información esencial de cada ficha y comunicar el mensaje de una forma clara y concisa. La espontaneidad estaba asegurada. Durante las reuniones pude añadir o suprimir ideas, o cuando fue necesario, recanalizar la conversación en una dirección diametralmente opuesta, pero siempre reconduciendo a mis entrevistadores a los puntos fundamentales que quería abordar.

ENSAYO FÍSICO-TÉCNICO

Inspección in situ

Uno de los métodos más ignorados en la actualidad y que te puede proporcionar valiosa información es el que se conoce como «inspección in situ». Si es posible, visita el lugar en el que hablarás, realizarás una presentación o darás una conferencia para hacerte una idea del entorno en que vas a trabajar. Esto te permitirá confeccionar una lista de lo que podrías necesitar y que no está disponible en la sala asignada (equipo audiovisual, micrófono, adaptadores, etc.)

Si no es posible efectuar personalmente la encuesta, llama por teléfono con antelación con una lista de preguntas. Si te dicen que habrá un técnico de audiovisuales durante el discurso, presentación o conferencia, habla con él. Tu imagen profesional está en sus manos, de manera que siempre es una buena idea tenerlo como aliado.

En mis seminarios y talleres de trabajo siempre cuento con la inestimable colaboración del «brujo» Rick Rothery, una relación que se mantiene desde que empecé en este negocio. Rick se ha encargado del equipo audiovisual en eventos de innumerables compañías Fortune 500, además de obras de teatro desde 1964. No podría pasar sin él. Su consejo es que aun en el caso de poder realizar una inspección in situ o telefónica, deberías llegar pronto el día del evento para comprobar lo que podría haber cambiado, además de familiarizarte con aquellas cosas —y siempre las hay— de las que no te han hablado.

Recuerda que la ley de Murphy está siempre agazapada, al acecho. Tómate el tiempo suficiente para verificar todos los aspectos técnicos del entorno en el que se desarrollará el discurso, presentación o conferencia, tales como equipo informático, iluminación, equipo de vídeo, pantallas, podio, sillas, mesas, etc., lo cual es especialmente importante en caso de que nadie pueda ayudarte y tengas que ocuparte personalmente de la supervisión. Con todo, aun disponiendo de un buen técnico a tu lado, deberías asumir la máxima responsabilidad posible en la revisión del entorno; eres el principal interesado en el éxito del evento.

A Sheila le pidieron que diera una conferencia a una asociación de mujeres ejecutivas de finanzas. Había aceptado con entusiasmo, pero ahora se enfrentaba a un dilema y necesitaba mi consejo. Me explicó que había intentado que le concedieran algún tiempo para ensayar con el equipo disponible en el centro de conferencias. Desafortunadamente, y debido a la premura de tiempo, le denegaron esta posibilidad.

«¿Qué debería hacer?», me preguntó.

«¡No aceptes un "no" por respuesta!», respondí. Le dije que insistiera o que les advirtiera de que podría reconsiderar su intervención. Después de todo, era «su» conferencia, y era «su» nombre y reputación los que estaban en juego. ¡Sé un poco egoísta! ¡Primero ocúpate de ti!

Hizo lo que le sugerí y esta vez consiguió un «sí» por respuesta. Cuando hablé con ella después del evento, me comentó que todo había salido a pedir de boca. Pero sin aquel tiempo de ensayo en escena, las cosas hubieran podido desviarse de lo previsto, pues a sus espaldas había pantallas de vídeo de techo a suelo que proyectaban imágenes de lo que estaba diciendo.

Ensayar con antelación en el espacio real y con el equipo real le permitió realizar reajustes de última hora en el número de diapositivas, confiriendo una mayor fuerza a la presentación y evitando los clásicos «vacíos». En consecuencia, se sintió más cómoda y segura de sí misma.

Veamos ahora otra historia que demuestra la necesidad de disponer de tiempo de ensayo in situ, aunque esta vez me sucedió a mí.

Tenía que hablar en el McCormick Center de Chicago. El auditorio era bastante espacioso y se esperaba la asistencia de alrededor de 450 ejecutivos. Necesitaría iluminación y equipo de sonido para que me vieran y oyeran bien; el grupo era francamente numeroso. Programé un ensayo técnico para la una del mediodía el mismo día, antes de la conferencia. Llegué puntual, pero ¡vaya por Dios! El técnico me informó que «debido a normativas sindicales» el ensayo previo se había cancelado.

Controlé mi ansiedad y le dije que para poder aclimatarme al lugar debía verificar el perfecto funcionamiento del equipo de iluminación y sonido. «No me dirá usted que no hay tiempo de sobra...», añadí.

«Lo siento mucho —respondió—, pero la única hora en la que podríamos hacerlo es a las 4 de la madrugada.»

Tras intentar localizar infructuosamente a quienes me habían contratado para la conferencia y pedirles que mediaran en tan inesperada situación, decidí encargarme yo misma.

Regresé al auditorio, cogí una silla y le aseguré al técnico que no contaran conmigo sin previo ensayo.

A la vista de mi rotunda determinación, al final dijo: «De acuerdo, de acuerdo. Haré caso omiso de la "normativa sindical"». Subí al escenario mientras él conectaba el equipo de iluminación, que por cierto estaba instalado de forma estándar, con los focos de frente. ¡Todo parecía estar dispuesto para la llegada de la nave extraterrestre en *Encuentros en la tercera fase*! ¡Me cegaban! ¡No veía absolutamente nada! ¡Ni el auditorio ni el escenario; ni siquiera la hoja de notas!

Le rogué al técnico que hiciera los cambios oportunos en la colocación de las luces. El resultado fue excelente. Más tarde regresé al hotel para descansar un poco. Imagina lo que hubiera ocurrido de haber aparecido delante de tanta gente sin un ensayo técnico previo. ¡El «encuentro en la tercera fase» habría sido inevitable!

A pesar de todo, habrá veces en que será imposible ensayar in situ con antelación (viajas en avión y el vuelo sufre un retraso, etc.), aunque son excepciones. Por regla general, en la mayoría de centros de conferencias siempre hay tiempo disponible. Aprovéchalo. Acostúmbrate a solicitar tiempo, aunque sea mínimo, para un ensayo físico-técnico con el equipo que utilizarás en el entorno en que deberás hablar. ¡Y no aceptes un «no» por respuesta!

Si se trata de una próxima entrevista de trabajo, también puedes realizar, de algún modo, un ensayo físico. Recrea las características generales del entorno en el que probablemente se desarrollará, con una mesa y una silla. Luego simula una entrevista con un amigo o familiar, que deberán formularte las preguntas sugeridas en el capítulo 7 y graba en vídeo tu «interpretación» para analizar tus respuestas y lenguaje corporal.

REFLEXIONA

Cuatro formas de evitar los lapsus de memoria:

1. Resume las notas o el guión con topos (•) o guiones (—).
2. Ensaya sobre la base del resumen anterior, no con frases completas.
3. Familiarízate con las ideas, no las memorices.
4. Memoriza la apertura, cierre y transiciones.

En cualquier caso, el ensayo físico del discurso, presentación o entrevista constituye un instrumento extraordinario para estructurar correctamente el mensaje.

ENSAYO MENTAL

En una ocasión leí un artículo sobre Liu Chi Kung, el famoso concertista de piano chino que quedó en segundo lugar en el concurso internacional America's Van Cliburn celebrado en 1958. Su carrera era excepcional hasta que un día, por alguna razón, fue acusado de un delito por el gobierno comunista de su país y encarcelado como preso político. Pasó los siguientes siete años de su vida confinado y sin tocar una sola tecla.

No lo olvides

Sigue un curso de interpretación o improvisación para perfeccionar la técnica verbal y física. Aunque hablar en público no es exactamente una representación teatral en el sentido estricto de la palabra, aprender algunas de las técnicas que utilizan los actores no sólo contribuye a mejorar las tuyas en las áreas más importantes, sino que también es una excelente forma de eliminar las inhibiciones.

Cumplida la pena, Liu Chi King reanudó el tour de conciertos y no tardó en asombrar a la crítica con su habilidad para tocar el piano como si nunca hubiera estado ausente de los escenarios. ¡En realidad, la mayoría de los críticos coincidieron en que incluso tocaba mejor que antes!

¿Cómo era posible que Liu Chi Kung fuera capaz de reaparecer con tanta fuerza después de siete largos años sin practicar?

Decía que no había dejado de practicar ni un sólo día en su celda, interpretando una y otra vez cada nota de cada pieza de concierto... ¡mentalmente!

Esta técnica se llama ensayo mental, y la utilizo antes de cada discurso, presentación o reunión de negocios como una forma de visualización de cómo quiero que se desarrolle todo. El subconsciente entra en acción y contribuye a hacerlo posible.

El ensayo mental se basa en el ejercicio de visualización del capítulo 5, que forma parte del proceso de eliminación de las inhibiciones. Adaptado aquí como método de ensayo, su finalidad es similar. Al visualizarte a ti mismo dando un discurso, realizando una presentación o siendo entrevistado para un puesto de trabajo, implicas al subconsciente para que contribuya a que lo imaginado se haga realidad. Es un instrumento particularmente potente para los Evitadores y Anticipadores.

La premisa básica es que el pensamiento siempre precede a la acción. Nuestros pensamientos influyen considerablemente en nosotros, y se pueden canalizar de una u otra forma mediante el poder de sugestión. Oprah Winfrey así lo demostró una tarde en un episodio de su show televisivo mediante un test. Cuando llegó el público asistente al show, les dijo que el equipo del programa había pulverizado una esencia aromática en el plató y que quería saber si, al término del show, lo habían percibido y podían identificarlo. Llegado el momento, muchos dijeron que sí lo habían percibido; ¡algunos incluso aseguraron que la ropa había quedado impregnada de aquella esencia!

Pero a continuación, Oprah les confesó que había mentido. Nadie había aromatizado el estudio. La audiencia se había dejado llevar por el poder de sugestión.

Pues bien, el ensayo mental aprovecha este poder de un modo positivo para llenar la mente con pensamientos e imágenes positivos acerca de cuán satisfactoria resultará nuestra intervención en público. En otras palabras, practicando con la mente lo que es posible, incidimos directamente en nuestro sincero deseo de hacerlo probable y convirtiendo esa probabilidad en realidad.

El ensayo mental complementa el ensayo verbal y físico-técnico, el peso decisivo que inclina la balanza a nuestro favor.

Hábito permanente

En una ocasión, antes de dedicarme a la oratoria, tenía que sustituir a la actriz principal en un espectáculo de Broadway. Llevábamos tres semanas preparando la obra, pero aún no había realizado un ensayo completo. ¡Ya puedes imaginar el shock que experimenté al llegar al teatro esperando no hacer casi nada para descubrir que, debido a circunstancias que no vienen al caso, iba a salir a escena aquella misma noche en lugar de la estrella!

¡Tenía tres horas! Mi corazón empezó a latir con fuerza. Afortunadamente, tenía demasiado que hacer como para pensar en lo nerviosa que estaba. Mientras me vestían y maquillaban, repasaba el texto y la música simultáneamente. Dado que tanto yo como mis compañeros íbamos a utilizar micrófonos de cable largo, debíamos saber dónde cruzarnos en el escenario para evitar tropiezos. Los movimientos habían sido coreografiados cuidadosamente. Intentaba recordar mentalmente los movimientos del personaje tal y como los había visto desde fuera del escenario.

Sin embargo, sólo yo sabía que apenas había dejado nada al azar. En previsión de que se pudiera producir una situación de este tipo, había ensayado toda la obra en casa, cada noche, después del espectáculo.

Llegó la hora. Mientras esperaba mi entrada en escena, podía oír la avalancha de voces del público entrando en la sala y acomodándose en sus asientos. Las luces se atenuaron, inspiré profundamente (varias veces, en realidad) y realicé un último y rápido ensayo mental, visualizando mi actuación tal y como quería que fuera. Se levantó el telón, hice la entrada y me dispuse a vivir una increíble aventura.

Casi al final del show, sola en medio del escenario, interpreté la última canción, un momento muy emotivo para el personaje. Las lágrimas corrían por mis mejillas. La audiencia debió de pensar que era una actriz de incalculable talento. Pero lo cierto es que no lloraba por exigencias del guión, ¡sino porque el espectáculo estaba finalizando y no había «asesinado» a nadie en escena!

Fue una noche emotiva y emocionante. El público me dedicó una larga ovación, en pie, y todo cuanto pude pensar fue... ¡gracias a Dios que había ensayado!

El tiempo de ensayo es un don que te regalas a ti mismo. Acostúmbrate a aceptarlo. Realiza el máximo ensayo verbal, físico-técnico y mental posible para sentirte seguro y confiado en el próximo discurso, presentación o entrevista. Es decir, define tus necesidades mínimas y cíñete a ellas.

¡Jugarás siempre con ventaja!

Capítulo 9

Y ahora, ¡encaja todas las piezas! ¡Tu público te espera!

¡Has recorrido un largo camino, pequeño!

Ha llegado por fin el momento de «hacer el equipaje» con todas las técnicas que has aprendido en este libro para comunicarte eficazmente. Pero hay algunos detalles de última hora a los que conviene prestar atención relacionados con el mismo día del evento, una lista final de trucos a seguir, que de ignorarlos, pueden echarlo todo a perder.

Si eres consciente de estos detalles y sabes cómo abordarlos, todo jugará a tu favor:

   a) Asegúrate de que todos los preparativos y práctica que has realizado en los capítulos anteriores no se malogren. Tenlos siempre en cuenta.
   b) Relájate antes del discurso, presentación o entrevista.

1. DESARROLLA UNA RUTINA DE PRECALENTAMIENTO

Es una buena idea realizar un precalentamiento antes de afrontar una situación de estrés, como hablar en público o ser entrevistado para un puesto de trabajo. Ayuda a liberar energía y a relajarte, y contribuye a la sintonía de la voz y el cuerpo.

Tengo una rutina de precalentamiento a la que siempre recurro cuando tengo que realizar un taller de trabajo, un seminario o dar una conferencia. Es lo bastante flexible y lo puedes practicar en cualquier lugar (en casa, la oficina, la habitación del hotel, etc.), independientemente de lo apretada que tengas la agenda.

- 15 minutos de ejercicio físico.
- 15 minutos de meditación.
- 5 minutos hablando en voz alta, incluso con un par de trabalenguas.

Antes de empezar, dedico unos minutos a estar sola con mis pensamientos. A algunos oradores les gusta mezclarse con la audiencia como una forma de relajación. También es una buena rutina de precalentamiento que practico de vez en cuando, aunque siempre busco unos momentos de intimidad.

No lo olvides

Mi buena amiga Marta Sanders es actriz de Broadway, en la ciudad de Nueva York, y ha sido galardonada con innumerables premios a la mejor cantante de cabaret. Aconseja «estar de pie muy erguido», ¡literalmente!, antes de empezar. Según cuenta, inspira profundamente y yergue el cuerpo antes de hacer su entrada en escena, pues cree que las entradas y salidas son tan importantes como lo que ocurre en el ínterin. Esta posición erguida mejora su postura y le infunde seguridad, al tiempo que le produce un sentimiento de orgullo por el hecho de haber tenido el privilegio de hacer lo que hace delante del público. En su opinión, la buena postura, una actitud muy positiva y la gratitud hacia la audiencia le permite iniciar el espectáculo con una extraordinaria energía. Inténtalo antes de tu próxima aparición en público.

No puedo decirte qué es lo que te dará mejores resultados; sólo tú lo sabes. Algunas personas me han dicho que recurren al *jogging*, a ejercicios de yoga o a bailar alocadamente con la música a todo volumen. Crea tu propia rutina. Considérala un instrumento más que puedes utilizar más o menos según las necesidades para que todo transcurra satisfactoriamente.

2. ¡CUIDADO CON LO QUE COMES!

Antes del evento, evita ingerir lo siguiente:

- *Cafeína*. Limita la ingesta de cafeína antes de hablar. Las bebidas que contienen cafeína, como el café, no sólo secan la garganta, sino que también provocan ansiedad y disparan los niveles de adrenalina. En cualquier caso, si te resulta «absolutamente» imposible pasar sin una taza de café, procura que sea descafeinado, o tómatelo normal con mucha antelación. De este modo, el organismo tendrá el tiempo suficiente para absorber la cafeína.
- *Comer poco antes del evento*. Como es lógico, hay que comer para estar fuerte y enérgico, pero hacerlo poco antes de realizar una presentación o entrevista tendrá el efecto opuesto, sumiéndote en un estado letárgico — ¡fuera de juego!—. Come mucho antes de empezar para poder digerir perfectamente la comida.
- *Azúcar*. Sustituye los alimentos azucarados por otros ricos en proteínas; mantienen los niveles de azúcar en sangre y dan energía.
- *Productos lácteos*. Producen mucosidades, que dificultan el habla al provocar tos y carraspeos. El agua no carbónica a temperatura ambiente es lo que eligen los oradores profesionales para mantener la humedad en la garganta. Las ro-

dajas de manzana también contribuyen a despejar el tracto respiratorio.

- *Alcohol.* Evítalo, hace estragos en la capacidad de raciocinio interfiriendo en la articulación de consonantes y vocales, al tiempo que reduce el ritmo y el tiempo de reacción. Consumir alcohol antes del evento tal vez te haga sentir «relajado», ¡pero al final acaba poniendo nerviosa a la audiencia!

3. Vístete con propiedad y «comodidad»

El viejo refrán «No se puede juzgar un libro por la cubierta» puede ser cierto, pero también lo es que la gente juzga a las personas por su educación, formación académica, grado de experiencia y profesionalismo, y entre otras cosas, por la forma de vestir. Aunque no esté relacionado con hablar en público, veamos un par de ejemplos.

En un viaje a Palm Beach con mi marido, cogí sin darme cuenta el equipaje equivocado en el aeropuerto. Parecía idéntico al mío y andábamos escasos de tiempo, de ahí que no verificara las etiquetas.

Al llegar al hotel, abrí la maleta. ¡Mis vestidos habían desaparecido! Eché un vistazo a la etiqueta para comprobar el nombre del propietario, pero estaba en blanco. Tras haber llamado a las líneas aéreas para informarlos del error, mi marido y yo decidimos, con reticencia, hurgar en las prendas que había en la maleta en busca de alguna identificación.

El intento fue en vano, pero empezamos a sentir curiosidad por el propietario y nos propusimos determinar el tipo de persona que era a partir del vestuario, llegando a las conclusiones siguientes:

- Tres camisas, corbatas y una americana de Macy's, todo muy usado (no era un hombre adinerado).

- Tres bolígrafos en el bolsillo de la americana (¿vendedor de automóviles, tal vez? ¿Inspector de Hacienda? ¿Abogado?).
- Una cazadora de cuero marrón de tres cuartos pasada de moda (¿detective?).
- No había zapatos; probablemente sólo llevaba los puestos y se dirigió directamente desde el aeropuerto a una reunión con la intención de registrarse en el hotel más tarde.

¡Acabábamos de «etiquetarlo»!

Al día siguiente, temprano, nos llamaron de las líneas aéreas para decirnos «Buenas noticias. Hemos localizado al hombre que tiene su maleta». ¡Menudo alivio pensar que podríamos recuperar la maleta!, pero también por la oportunidad de poder comprobar muy pronto si nuestro retrato del misterioso hombre era más o menos exacto.

Hablamos con él por teléfono, le preguntamos dónde estaba y, con acento extranjero, nos dijo que muy cerca de nuestro hotel y que estaría allí en pocos minutos. Para poder reconocerlo, le pregunté qué coche conducía: «Un Mercedes blanco», respondió el «vendedor de automóviles», «inspector de Hacienda», «profesional del Derecho»... o quizá ¡«corredor de apuestas»!

Le estábamos esperando fuera del hotel cuando apareció en su Mercedes blanco. Nos saludó cordialmente. Era muy simpático y bien parecido a sus cincuenta y tantos años que tendría, con el pelo gris. Venía del hospital, nos contó, ataviado con una bata blanca de laboratorio y un estetoscopio colgado del cuello. ¡Era médico! ¡Vaya! ¡Menudo error! Todas nuestras suposiciones habían fallado. No pudimos reprimir una carcajada.

Asimismo, en la esfera empresarial, es indiscutible que la forma de vestir dice mucho de quién eres, y justa o injustamente, la audiencia hace interpretaciones. Así pues, tómate tu imagen en serio, prestando una cuidadosa atención al atuendo.

La incomodidad física aumenta la ansiedad. No hay nada peor, por ejemplo, que llevar ropa nueva con la que no te sientes cómodo en una presentación o entrevista, o un calzado demasiado apretado. ¡Una vez conocí a un orador que subió al podio con un traje tan apretado que incluso salió disparado un botón al empezar a hablar!

Lleva prendas cómodas y no compres nada nuevo para la ocasión. Lo usado y de buen aspecto es lo ideal. Procura también que los zapatos sean igualmente usados y cómodos.

4. Deja en la puerta tu equipaje personal

Aunque ya he comentado esta cuestión con anterioridad, merece la pena reiterarla, ya que las experiencias que conforman el estado de ánimo y que se viven mientras nos dirigimos al lugar en el que vamos a hablar ocurren, nueve veces de cada diez, menos de una hora antes de llegar: un vuelo retrasado, una colisión en el taxi, una llamada urgente en el teléfono móvil de casa o del trabajo acerca de un problema en el que nada puedes hacer, etc. ¡Es tan habitual!

Los oradores profesionales saben cómo enfrentarse a este tipo de situaciones. Buscan un lugar tranquilo en el que aislarse unos minutos, respirar profundamente y concentrarse en la audiencia y lo que tienen entre manos, y son capaces de hacer un discurso, presentación o entrevista como si nada hubiera sucedido.

Si entras en la sala de conferencias nervioso y con tus preocupaciones a cuestas, nadie más que tú sabrá la causa, la audiencia percibirá la energía negativa en el ambiente y las expectativas serán sin duda alguna poco prometedoras. Al igual que los oradores profesionales, debes ser capaz de desnudarte y aislarte de tu equipaje personal, recanalizando la atención hacia la audiencia, aunque sólo sea durante un par de horas.

Conocí a un orador que tenía que impartir un seminario sobre estrategias de ventas un par de días después de los trágicos sucesos del 11-S. En opinión de los asistentes, hizo un excelente trabajo. Nadie supo que su hermano, bombero de la ciudad de Nueva York, figuraba en la lista de desaparecidos. Evidentemente estaba muy preocupado por lo sucedido, sin saber si estaría vivo o muerto. Más tarde le pregunté cómo había podido afrontar el trabajo bajo los efectos de tan devastadoras circunstancias personales, a lo que él respondió: «Cuando viajo en avión, no quiero saber si el piloto tiene un buen día o un mal día. Su trabajo es llevarme hasta mi destino sano y salvo. Es lo único que me importa. Lo mismo me ocurre a mí. Me pagan por ayudar a la gente a hacer mejor lo que están haciendo, y desde luego compartir mis problemas con ellos no les resultará de ayuda».

¡Una respuesta impresionante! ¡Acababa de subir el listón para los oradores expertos e inexpertos por un igual!

5. TÉCNICAS Y BUEN HUMOR

Como ya he mencionado con anterioridad en este libro, independientemente de cuánto nos hayamos preparado, todos cometemos errores, o algo va mal, durante una exposición pública. Permíteme abundar en el tema. Lo que cuenta es recuperarse, no equivocarse. Si mantienes el tipo bajo presión, mediante las técnicas de respiración y otras que te he enseñado, y mantienes el buen humor, puedes convertir un «desastre» en puntos a tu favor, tal y como suelen hacerlo los oradores profesionales.

Uno de mis clientes, dentista, estaba nervioso ante la expectativa de realizar una presentación a los miembros del Colegio de Odontólogos de su localidad. Había trabajado duro y estaba muy bien preparado. Se dirigió al podio pletórico de energía y, accidentalmente, golpeó el micrófono con el brazo. Un estridente «ñi-i-i-i-i-ic» invadió la sala. Se sentía fatal, pero cuando el sonido remitió y todos empezaron a recuperar su capacidad auditiva, miró a la audiencia con una mueca y dijo: «¡Vaya por Dios! ¡Supongo que el Valium me ha dejado K.O.».

Todos rieron, lo cual le relajó. Había manejado la situación con habilidad. La exposición fue un éxito.

Como ser humano que eres, cuando cometes un error, la reacción inicial de tus oyentes es estrangularte, pero luego piensan: «En realidad, también hubiera podido sucederme a mí». Si manejas bien la situación, ellos harán lo propio.

6. ESTATE PREPARADO PARA SOLUCIONAR PROBLEMAS IN SITU

Hoy en día, por ejemplo, muchas personas utilizan ordenadores portátiles como complemento en sus discursos o presentaciones. A decir verdad, como instrumentos audiovisuales de apoyo en este tipo de situaciones, los portátiles se están convirtiendo en un estándar. Proyectados en una gran pantalla, los vídeos y otros gráficos pueden tener un aspecto inmejorable y potenciar sobremanera la presentación. Pero si bien es cierto que proporcionan extraordinarias alternativas a los oradores y comunicadores, pueden ocurrir muchas cosas durante su uso, y casi siempre, en el peor de los momentos. Estate, pues, preparado para solucionarlos in situ. Veamos cómo.

Accesorios a mano

Si utilizas equipo informático, ten siempre a mano los accesorios siguientes:

1. Cables de extensión AC lo bastante largos como para llegar hasta las tomas de corriente alejadas del podio.

2. Regleta AC para enchufar todo el equipo electrónico (portátil, proyector de vídeo, micrófono, etc.) en una sola toma
   de corriente.

3. Adaptador AC 3-2. Es un accesorio muy importante si el
   edificio es antiguo y sólo dispone de tomas de corriente
   AC de 2 clavijas en lugar de 3.

4. Todos los cables necesarios para conectar el portátil al
   proyector de vídeo.

5. Cinta aislante para fijar los cables en el suelo y evitar los
   traspiés.

6. Y, lo más importante, una batería cargada para el portátil,
   y si es posible, un adaptador AC para toma de corriente.

Plan de emergencia

En caso de que falle todo el sistema o que se produzca un apa-
gón, un buen plan de emergencia puede salvar el día.

1. Asegúrate de que la batería del ordenador y la de repues-
   to están cargadas por si se produjera un corte en el suministro eléctrico.

2. Distribuye resúmenes de la presentación entre los asistentes. De este modo podrás decir: «Al parecer tenemos dificultades técnicas», remitir a la audiencia a los resúmenes y
   seguir adelante. Recientemente pasé por una experiencia
   como ésta. El orador estaba realizando una presentación
   con PowerPoint cuando el proyector de vídeo se apagó.
   «Bien –dijo—, consulten por favor la página 4 del resumen.» Y continuó como si nada hubiera sucedido. Los resúmenes son una especie de «salida de escape».

7. AÑADE TOQUES DE PROFESIONALIDAD QUE FOMENTEN LA CONFIANZA Y POTENCIEN LA CREDIBILIDAD

Para practicar un deporte necesitas el equipo apropiado: un buen casco de protección, una bicicleta rápida y robusta, las prendas adecuadas, zapatillas deportivas cómodas y resistentes, etc. Todo esta parafernalia aumenta las probabilidades de triunfo, ya que potencia la confianza y seguridad en ti mismo.

Lo mismo se aplica a hablar en público. También aquí necesitas el equipo apropiado, esos toques profesionales que te harán sentir confiado, potenciarán tu credibilidad y asegurarán el éxito.

Así, por ejemplo, si vas a hablar o realizar una presentación desde un podio o en una gran sala de conferencias, a menos que tengas pulmones de tenor de ópera, es probable que quieras utilizar un micrófono, aunque también desearás tener la oportunidad de moverte libremente de un lado a otro para acercarte a la audiencia y mantener el contacto visual.

En algunos auditóriums no hay micrófonos, o por lo menos no los más idóneos para ti. Te aconsejo que compres uno inalámbrico, sobre todo si tienes previsto hablar mucho en público en el futuro. Procura que sea de buena calidad y de un fabricante de prestigio, como Shure, Sennheiser, Sony, Telex o Vega, por citar algunos. No son muy caros y podrás encontrarlos en cualquier comercio de aparatos electrónicos o equipos audiovisuales. De este modo, no tendrás que preocuparte de si hay micrófonos o no allí donde vas a dar el discurso. Por otro lado, cuanto más familiarizado estés con tu micrófono, o cualquier otro equipo de tu propiedad, más confiado te sentirás y mejores resultados vas a conseguir.

A medida que vayas adquiriendo más experiencia y soltura al hablar en público, puedes ir añadiendo nuevos accesorios para no tener que depender en lo más mínimo del equipo técnico disponible en el lugar en el que se celebrará el evento.

No lo olvides

Muchos oradores, en especial los ejecutivos y hombres de negocios, utilizan un visualizador (teleprompter) para leer el discurso. Les permite mirar como si en realidad estuvieran manteniendo contacto visual con la audiencia mientras el texto se reproduce en una pantalla frontal. Los presentadores de noticiarios televisivos lo suelen usar por la misma razón. Si no has tenido la ocasión de ver uno, quédate con la idea de una lente de cámara iluminada que va reproduciendo el texto de la presentación en letras grandes. La cámara está situada entre el orador y el público, y el texto avanza a un ritmo suficiente como para poder leerlo sin mayores problemas. Si vas a necesitar uno, procura disponer del tiempo necesario de ensayo antes del evento para familiarizarte con su funcionamiento. Asimismo, el operador deberá ajustarlo a tu ritmo de lectura. Con el ensayo previo evitarás una infinidad de situaciones desagradables y podrás hablar con naturalidad.

¡Hazlo a menudo!

Hablar en público es algo que debes hacer con frecuencia, pues al igual que cualquier otra técnica, sólo se perfecciona con el tiempo. Por el contrario, cuanto menos lo practiques, más oxidado te sentirás cuando se presente la ocasión.

No hace mucho presencié una conversación entre el actor Peter Falk, el famoso *Colombo*, y un grupo de compañeros actores expertos en apariciones públicas. La cuestión que planteaban a Falk era la de si prefería trabajar en un escenario o en un film. Respondió que ambas cosas, aunque eran muy diferentes;

No lo olvides

Si vas a trabajar con un guión o texto completo, te recomiendo un ScriptMaster, fabricada por Brewer-Cantelmo, Inc. Se trata de un maletín de piel para guardar los guiones, textos de conferencias o notas. Es muy atractivo y elegante cuando está cerrado, y al abrirlo, te permite girar las páginas con una extraordinaria facilidad, al tiempo que mantienes el contacto visual con la audiencia. Es un instrumento muy eficaz.

trabajar en el escenario era algo que todo actor debía realizar para mantenerse en forma. La técnica física requerida es más compleja y exigente, dijo Falk, ya que actuar en el escenario es «GRANDE». La gente acude al teatro para ver personajes «de mayor tamaño» que los de la vida real, y los actores deben cumplir físicamente este requisito independientemente de que cuán altos o bajos, obesos o delgados sean en realidad, mientras que actuar en una película y en televisión es «PEQUEÑO», lo cual exige una mayor sutileza para conseguir una interpretación real.

En las situaciones de exposición pública, no es necesario ponerse en la piel de otro personaje. El único personaje eres tú. Debes ser tu «yo» auténtico, pero con más energía de la que exhibirías, pongamos por caso, sentado en una reunión de amigos. Conseguirlo requiere técnica física. Cuantas más oportunidades tengas de hablar en público en situaciones nuevas y diferentes, mayor será tu experiencia en esta técnica y, en consecuencia, más te divertirás. ¡Hablarás sin miedo!

Como se suele decir en teatro: «¡Mucha mierda!».

¡Es la hora del espectáculo!

Acerca de la autora

IVY NAISTADT lleva más de quince años ayudando a numerosos profesionales del mundo de la empresa y de otros campos a controlar la ansiedad al hablar en público y a comunicarse más eficazmente. Como conferenciante y moderadora de seminarios, entre su larga lista de clientes destacan compañías tan importantes como IBM, Corning, New York Times, Hershey y Pitney Bowes. Miembro de la National Speakers Association, la American Society for Training and Development y la American Management Association, figura en el directorio *Who's Who in Professional Speaking*. Reside en Nueva York.

Si deseas saber más acerca de la autora, puedes consultar su página web: www.IvyNaistadt.com

Fatiga Adrenal
(800) 518-7978
Cylapril.com